Schokkende aarde

De serie World Wide Kidz bestaat uit boeken die gaan over kinderen in andere landen. Het zijn kinderen zoals jij. Ze spelen, kletsen, lachen en dromen over de toekomst. Maar er zijn ook verschillen. Kinderen in andere landen kunnen soms niet naar school, leven in oorlog of hebben niet genoeg te eten. Lees meer over deze kinderen in de serie World Wide Kidz. De volgende delen zijn verschenen:

Deel 1: *De dag van de golven* – Corien Oranje
Deel 2: *Kind van de oorlog* – Anne de Graaf
Deel 3: *Vlucht naar El Pozón* – Rina Molenaar
Deel 4: *Dans over de zee* – Anne de Graaf
Deel 5: *Leven achter prikkeldraad* – Bert Wiersema
Deel 6: *Miss India* – Rina Molenaar
Deel 7: *Dorst!* – Stephen D. Teeuwen
Deel 8: *Schokkende aarde* – Rina Molenaar

Kijk op www.wwkidz.nl

Schokkende aarde

35 seconden
die Haïti
veranderden

Rina Molenaar

Informatie voor docenten: over Oeganda en het thema 'water' is een lespakket beschikbaar, waarmee een projectweek in de bovenbouw van de basisschool, of de eerste klas van het voorgezet onderwijs kan worden georganiseerd. Ook zijn er lespakketten en/of leskisten voorhanden over Indonesië en het thema 'tsunami', Liberia en het thema 'burgeroorlog', Colombia en het thema 'ontheemden', Zuid-Afrika en het thema 'aids', Thailand en het thema 'vluchtelingen' en India en het thema 'kinderarbeid'.
Voor meer informatie en het reserveren van een lespakket/leskist, zie de site van World Wide Kidz: www.wwkidz.nl.

Schokkende aarde
35 seconden die Haïti veranderden
Rina Molenaar

ISBN 978-90-8543-157-2
NUR 232, 283

Ontwerp omslag: BEEEP, grafisch ontwerp bno
Illustratie omslag: Roelof van der Schans
Opmaak binnenwerk: Gerard de Groot
Foto's: Rina Molenaar

Een uitgave in samenwerking met ZOA-Vluchtelingenzorg en Woord en Daad.

Uitgeverij Columbus is onderdeel van Uitgeversgroep Jongbloed te Heerenveen

www.jongbloed.com
www.wwkidz.nl

Inhoudsopgave

Stel je voor ...

Heb jij weleens tot 35 geteld? Dat is meer dan een halve minuut. In 35 tellen kan er veel gebeuren.
Stel je voor ... je zit op school. De juf heeft huiswerk opgegeven. Nog tien minuten en dan gaat de school uit. De juf loopt even de klas uit en belooft zo terug te komen. Je maakt sommen. Zonder de juf in de klas is het leuk: je kunt lekker kletsen met je vriend of vriendin, of heerlijk naar buiten staren.
Opeens hoor je een hard geluid. Alsof er een vrachtwagen voorbij dendert. Je kijkt naar buiten, maar je ziet niks bijzonders. Dan kijk je het klaslokaal in en zie je opeens de landkaart van de muur vallen. Alles trilt en beweegt!
Je rent naar de gang, maar daar stroomt het vol met kinderen. Iedereen roept, duwt en trekt. Je kunt geen kant op. Achter je hoor je een muur instorten. Boven je zie je het dak bewegen.
35 seconden lang trilt de aarde ...

Sonson kan jou vertellen wat hij meemaakte op 12 januari 2010 om 16.50 uur. In 35 seconden veranderde alles voor hem. In Port-au-Prince, de hoofdstad van het arme land Haïti, trilde op dat moment de aarde. Er vond een grote aardbeving plaats die de hele stad kapotmaakte. Grote gebouwen en huizen die altijd stevig leken te staan, stortten als legohuisjes in.
Veel kinderen zaten net als Sonson op school. In Haïti heb je namelijk een morgenschool en een middagschool. De middagschool duurt tot vijf uur. Heel veel vaders waren aan het werk. Moeders en kleine kinderen die nog niet naar school gingen, bevonden zich op dat moment in huis, op straat of in een winkel.

Stel je voor dat je uit de school weet te komen. Je staat op straat, maar je weet niet wat je ziet. Kapotte huizen. Huilende mensen. Gewonde kinderen die onder het puin vandaan worden gehaald. Maar ook heel veel doden. Je bent alleen. Papa en mama zijn niet in de buurt. En jij ziet dat allemaal. Jij kunt het je niet voorstellen, maar Sonson maakte het echt mee.

In totaal zijn er meer dan 220.000 mensen en kinderen gestorven. Dat is de helft van alle inwoners van Rotterdam. Iedereen die je in Port-au-Prince tegenkomt, heeft je wel een verhaal te vertellen. Kinderen zijn hun vriendjes verloren. Sonson heeft die dag niet kunnen tellen hoeveel dode lichamen hij langs de weg heeft gezien. Terwijl hij best wat gewend is. Want Haïti is een land waar al heel lang verdrietige dingen gebeuren: mensen van de regering die hun werk niet goed doen of niet goed kunnen doen, en natuurrampen zoals overstromingen en orkanen. Je kunt hier meer over lezen achter in dit boek.
Toch proberen de mensen in Haïti hun leven weer zo goed mogelijk op te pakken. Op de meest verdrietige momenten van hun leven proberen ze grappen te maken en laten ze elkaar lachen. Ze gebruiken veel spreekwoorden om elkaar moed in te spreken. Je leest ze in het verhaal van Sonson, de hoofdpersoon van dit boek.

Haïti is een heel gelovig land. Tijdens de aardbeving riepen veel mensen om Jezus. Er is in die dagen veel gebeden en gezongen op straat. En elke zondag zie je mensen en kinderen in mooie kleren naar de kerk lopen. Na de aardbeving zijn er veel mensen tot geloof gekomen en zijn de kerken gegroeid.

Sonson laat je zien dat volwassenen en kinderen in Haïti niet alleen aan de verdrietige dingen blijven denken, maar ook vooruitkijken. En heel graag weer een mooi Haïti willen opbouwen.

Rina Molenaar

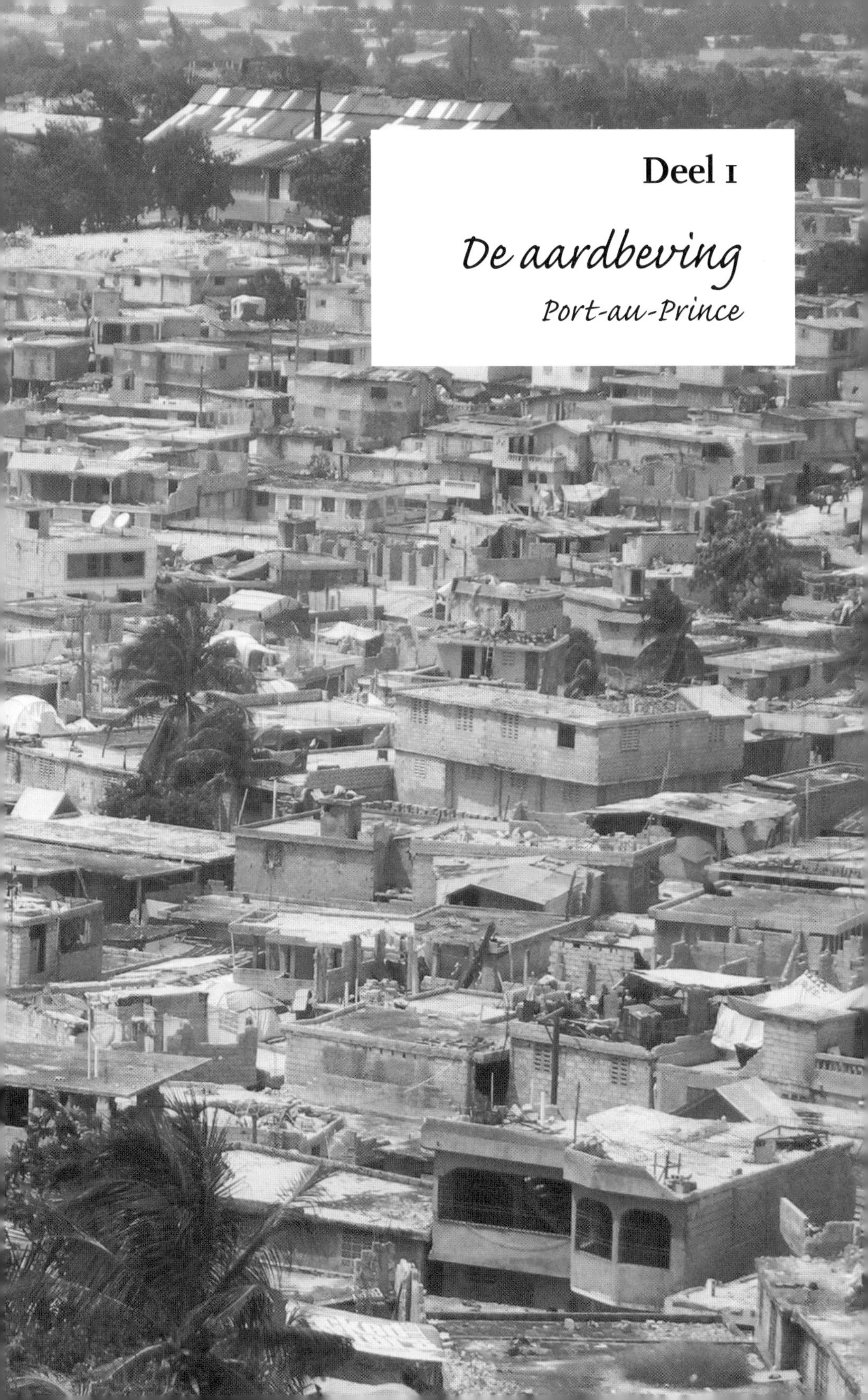

Deel 1

De aardbeving

Port-au-Prince

Hoofdstuk 1

'Nog een kwartier werken, dan is het vijf uur', zegt juf Vena. Ze veegt met het witte doekje dat ze altijd bij zich draagt over haar gezicht. 'Maken jullie de sommen op het bord maar af, dan stoppen we ermee. Ik kom zo terug, maar ik moet even wat halen.'

Gelukkig, bijna vrij! Sonson kijkt naar buiten. De bladeren van de bomen wuiven zacht heen en weer. Het is warm vandaag. Sonson leunt op de bank, met zijn hand tegen zijn hoofd. Alles plakt aan hem. Hij trekt met zijn vingers zijn shirt van zijn bezwete buik. Hij heeft er geen zin meer in, zo aan het eind van de middag.

Straks lekker voetballen met Reinaldo en Carlos. Gisteren hebben ze gelachen. Carlos en hij deden een wedstrijdje wie de gekste schijnbewegingen kon maken om te kunnen scoren. Iedereen lag in een deuk.

'Psst ... ben jij al klaar met je sommen?' Mano kijkt hem vragend aan.

Sonson haalt zijn schouders op. Hij pakt zijn rekenmachine tussen zijn vingers en draait haar als een vliegende schotel in het rond. Als de rekenmachine bijna van de tafel schiet, pakt hij haar net op tijd beet.

'Klaar? Nee. Moet dat dan?' fluistert hij naar Mano. 'Er komt nog een hele avond hoor! Morgen is er weer een dag. Trouwens ... dan is het woensdag en hebben we geen wiskunde. Donderdag moeten we de antwoorden pas hebben. Ik doe het vanavond thuis wel even. Ik heb al mijn sommen in m'n schrift staan.'

Mano trekt zijn mond helemaal naar links. Sonson schiet in de lach. De grote bruine neus van Mano komt bijna tegen zijn dikke lippen aan.

Mano baalt. Hij is een kei in het overpennen van antwoorden uit Sonsons schriftje. En dat feest gaat vandaag niet door. Sonson staart weer naar buiten. Het is druk in de stad. Op de hoofdweg voor de school razen auto's en grote vrachtwagens voorbij. De vrouwen aan de kant van de weg hebben hun verkoopkleedjes zo veel mogelijk op de stoep gelegd, maar moeten rond deze tijd oppassen dat de auto's hen niet klemrijden.
Het is bijna vijf uur, dan is het een drama om door de drukke stad naar huis te komen. Sonson weet er alles van, want hij zit op de middagschool en is dus elke dag pas om vijf uur klaar. Op de hoek van de straat zit Snoepjesoma. Zo noemt hij haar, omdat ze snoepjes verkoopt en op zijn oma lijkt. Lekkere snoepjes, van die grote roze zuurballen. Als Snoepjesoma lacht, doet ze dat niet alleen met haar mond. Haar hele lichaam schudt mee. Elke dag probeert hij haar met een grap aan het lachen te krijgen. Omdat hij dat zo'n leuk gezicht vindt. Hij kijkt naar buiten en ziet nog net haar brede rug. Ze moest eens weten hoe dat eruitziet. Op de achterkant van zijn rekenschrift probeert hij oma van achteren te tekenen. Mano wipt met zijn stoel naar zijn kant en raakt net Sonsons schouder.
'Ga je toch de sommen maken?' vraagt hij.
'Als je dit sommen noemt? Een kunstwerk van Snoepjesoma d'r achterkant?'
Mano grijpt lachend Sonsons schouder.

Er gaat een grote trilling door het schoolgebouw.
'Zo dan!' roept Sonson. Hij draait met een ruk zijn hoofd om en kijkt naar buiten. Wat is dit voor een grote vrachtwagen? Hij heeft nog nooit eerder een vrachtwagen voorbij voelen denderen die zulke trillingen veroorzaakt. Dit is niet normaal. De vloer trilt. De landkaart van Haïti valt naar beneden.
Hij kijkt naar buiten maar ziet niks. Dan kijkt hij naar Mano. Die wiebelt op zijn stoel en staart hem met grote bruine ogen aan. Zelf zwiept hij ook alle kanten op. Hij kan niet stil op zijn stoel blijven

zitten. Alles beeft, kraakt en rommelt. Hij wordt van links naar rechts en van voren naar achteren en op en neer gestoten. Zijn hele lichaam trilt. Wat is dit? Hij kijkt door de openstaande deur van het lokaal. De gang stroomt vol kinderen en meesters en juffen.

'Allemaal naar buiten! Zo snel als je kunt!' roept juf Vena die opeens in de deuropening staat. Sonson springt overeind en valt bijna om. Hij grijpt net op tijd met zijn rechterhand naar de tafel achter hem en pakt Mano met zijn linkerhand bij zijn schouder vast. Dan draait hij behendig om de bank heen. Met zeven grote passen is hij bij de deur. Bij elke stap die hij zet, wordt hij door elkaar geschud. Er wordt aan zijn bloes getrokken. Mano roept in zijn nek: 'Wat is dit? Wat gebeurt er? Alles trilt! Ik hoor muren vallen!'

In de gang komt hij in een grote wirwar van leerlingen terecht. De bezwete lichamen plakken tegen hem aan. Het is warm in de gang, benauwd en stoffig. Sonsons keel zit dicht. Verderop staat de deur naar buiten wagenwijd open. Hij moet hier zo snel mogelijk weg! De deur door. Nog steeds voelt hij de trillingen. Hij knijpt zijn ene oog dicht en telt snel. Hooguit vijftien stappen, dan is hij buiten. Zo snel mogelijk uit dit schokkende gebouw. Overal ziet hij stenen, naast hem, boven hem en onder hem. Gevaarlijk!

Met zijn elleboog probeert hij zich een weg te banen. Waarom lopen ze niet harder? Voor hem staat de meester van groep 8. Met zijn grote handen trekt hij een paar kinderen aan hun bloesjes mee. Sonson stoot de meester met zijn elleboog in zijn rug. Hij gaat op zijn tenen staan. Een grote menigte van zwart kroeshaar en bruine armen verspert hem de weg. Waarom gaan ze niet sneller door de deur? Waarom is die deur zo smal? Het trillen gaat maar door. Het voelt vreemd, alsof iemand onder aan zijn voeten schokken uitdeelt. Tot zijn vingertoppen toe tintelt het. Wat is dit? Waar komen die trillingen vandaan? Achter zich hoort hij een muur in elkaar storten. De stenen kletteren naar beneden.

Zijn keel is droog. Hij slikt, maar het is net alsof het speeksel in zijn mond op is. Hij likt met zijn tong langs zijn lippen en knippert met zijn ogen. Alles is wazig. Buiten hoort hij gerommel. Het lijkt wel op onweer. Dan kijkt hij naar boven. Stof. Als zijn ogen aan het stof gewend zijn, ziet hij het plafond boven zich bewegen. Hij trekt zijn schouders omhoog en rilt. Lopen, doorlopen! Hij pakt Mano bij de kraag van zijn bloes en trekt hem verder naar voren. Een grotere jongen duwt hij naar rechts, maar die geeft een harde duw terug.

'Kom, wegwezen hier!' zegt hij tegen Mano. Maar het geluid van zijn stem verdwijnt in het lawaai van de andere stemmen en het gerommel van kletterende stenen.

Als het plafond nu naar beneden komt, valt het recht op zijn hoofd. Dan ligt hij onder het beton. En misschien is hij er dan niet meer. En Mano ook niet.

Weer duwt hij met zijn elleboog. Het meisje voor hem struikelt en valt voorover. Sonson wordt naar voren geduwd en even voelt hij dat hij boven op haar staat met zijn grote voeten. Maar hij moet weg hier, daarom loopt hij verder. Naar de deur. Daar moet hij door. Weer voelt hij onder zijn rechtervoet iets. Een hand van iemand die gevallen is. Zijn rechterarm duwt hij omhoog tegen zijn oor om het akelige gegil niet te horen. Zijn ogen zijn op de deur gericht. Nog acht stappen naar buiten. Als hij niet opschiet, gaat hij dood.

Hij voelt de hand van Mano hard aan zijn bloes trekken. Die trekt hem terug en belemmert hem door te lopen. Even is hij die hand kwijt. Maar dan voelt hij weer een ruk naar achteren. Nog drie stappen, dan is hij buiten. Armen, voeten, handen ... waar staat hij allemaal op? Hij rilt even. Waarom staat hij op iemand zonder hem overeind te helpen?! Iedereen doet het. Doorlopen, doorlopen. Elke stap is er een. Nog een stap, een duw tegen de grote jongen voor hem.

Sonson haalt diep adem en is buiten.

Hij staat in de smalle steeg aan de zijkant van de school. Door

deze steeg loopt hij elke dag naar de binnenplaats. Daar is het enige hek waar je door naar buiten kunt. Links de hoge muren van de school en rechts de lagere buitenmuur rondom de school. Muren, overal stenen muren, die bewegen, afbrokkelen. Alles wat steen is, lijkt gevaarlijk. Ze bewegen alsof ze van papier zijn. Gelukkig lopen de mensen en kinderen in het smalle steegje goed door. Binnen een paar tellen staat hij op de binnenplaats. Hij ademt diep in. Geen muren meer in de buurt.
Dan hoort hij een enorm lawaai. Alsof een enorme bulldozer een grote hoop stenen op een hoop smijt. Hij voelt de handen van Mano om zijn bovenarm gekneld. De muur achter de binnenplaats stort met veel geraas in. Het wordt grijs om hem heen. Met zijn handen wrijft hij langs zijn ogen. Maar het helpt niet. Hij hoort stemmen voor zich. Volwassenen praten tegen elkaar.
Als de schoolmuren maar blijven staan! Die zijn veel hoger en groter. Sonson draait zich om. Door een mistige, grijze laag ziet hij het schoolgebouw. Het beweegt heen en weer. Van voren naar achteren.
'Hierheen, de straat op!' schreeuwt de meester van groep 11[1]. 'Kom, mee! Snel! Dit is een aardbeving!' De schorre stem van de meester komt boven het geraas en gedonder achter Sonson uit. Achter de muren van de binnenplaats stort een groot huis in. Sonson loopt, tussen andere kinderen door, op de meester af die bij de smalle deur van het hek van het plein staat. Dus deze trillingen onder zijn voeten zijn een aardbeving? Mano grijpt zijn hand. Sonson doet even zijn ogen dicht. Dan laat hij zich met Mano aan zijn hand meesleuren met de lange sliert van kinderen die door de smalle deur gaan. Iedereen duwt en trekt. Eindelijk staat hij buiten het schoolterrein, op de straat. Alle muren die hij nog ziet, staan een paar meter bij hem vandaan. Stof en korreltjes cement kleven aan zijn armen en benen. Hij laat Mano los, schudt eerst zijn linkerbeen heen en weer en dan zijn rechterbeen. Het stof blijft kleven.

1 Haïti heeft een ander schoolsysteem, zie verder achter in het boek.

Hij loopt achter de meester aan de straat op. Naar de voorkant van de school. Daar kijkt hij op, naar het gehavende gebouw.
Het lokaal waar hij zojuist nog in zat, is helemaal ingestort.

Op straat lopen mensen te huilen en te roepen.
'Jezi tounen - Jezus komt terug!'
'Mwen tande Jezi kap tounen - ik hoor Jezus die terugkomt!' Hoort Sonson om zich heen.
De twee vrouwen die voor hem staan, grijpen elkaar vast. Hun hoofddoeken zitten ook onder het grijze stof. Ze huilen, dicht tegen elkaar aan.
Komt Jezus terug? Daar heeft hij helemaal niet aan gedacht. De meester zei net dat het een aardbeving was. Sonson kijkt naar de grond onder hem. Beweegt deze nu nog, of niet meer? Hij voelt weer een schok.
Midden op de straat zit een groepje mensen. Hij loopt naar hen toe en gaat naast ze zitten. Mano volgt hem. Sonson zit altijd liever op zijn hurken, maar met deze wiebelende grond onder hem is dat niet handig. Met zijn handen onder zijn hoofd kijkt hij om zich heen. Voor hem lopen meesters en juffen naar de kapotte stenen muren van de schoollokalen. Nog meer mensen lopen in die richting. Achter hem staat het oude filmgebouw nog recht overeind.
Is dit een aardbeving? Of komt Jezus zo terug? Hij weet het niet goed. Als het een aardbeving is, zou het dan ook in Forêt-des-Pins zijn, bij papa en mama en de rest van de familie? Of is het alleen hier? Dan had hij beter nog daar kunnen wonen. En niet in Port-au-Prince. Hoe zou het met zijn broer en zus zijn, Rhodé en Sebastian? En het huis waar ze met z'n drieën wonen? Zou dat ook ingestort zijn? Waar zouden Reinaldo en Carlos zijn? Hij staart naar de stoffige straat.
Mano geeft hem een por in zijn zij. Hij schrikt op.
In de buurt van het schoolgebouw proberen juffen en meesters wat stenen weg te halen, vlak bij een arm die onder een puinhoop

vandaan steekt. Er komt nog een arm tevoorschijn. Twee mannen en een vrouw trekken aan de twee smalle, bruine armen. Na een poosje houden ze een slap lichaam van een meisje omhoog. Sonson draait met een ruk zijn hoofd om. Hij trekt zijn knieën op en legt zijn hoofd erop. Het meisje leeft niet meer. Hij rilt. Dit had hij zelf kunnen zijn.
Hij voelt de arm van Mano op zijn schouder.

Hoofdstuk 2

Snoepjesoma zit ook in de groep bij Sonson en Mano. Ze ziet er gek uit. Net een blanc[2]. Haar zwarte krulletjes zijn grijs. Haar felrode bloes is grijs, haar zwarte rok is grijs. Sonson kijkt om zich heen. Iedereen is grijs. Alleen bruine ogen en witte tanden steken glanzend af.

Sommige muren van de school zijn omgevallen, andere staan nog overeind. Vooral de voorkant van de school is flink beschadigd. Een koude rilling loopt over zijn rug. Het lokaal waar hij een half uur geleden nog in zat, ligt in puin. Hij had wel dood kunnen zijn! En Mano, en alle kinderen uit zijn klas! De bomen op de binnenplaats van de school en aan de kant van de weg staan nog pal overeind. De bladeren ritselen zachtjes. De bomen staan er trots, alsof ze tegen de muren zeggen: 'Wij zijn sterker dan jullie.'

Sonson ziet heel wat benen langs zich heen lopen. Bruingrijze blote benen, benen met rokken, benen met broeken. Mensen op blote voeten, mensen met sandalen of dichte schoenen. Hij zucht diep. Wat gebeurt er allemaal? Hij kan het niet bijhouden. De grote chaos en alle mensen die voorbijlopen. Nog nooit is er zo'n grote aardbeving geweest. Elke keer ziet hij weer iets wat hij nog nooit eerder in zijn leven heeft gezien. In zijn hoofd is het chaos.

Mano zit stil naast hem. Het huilen en jammeren van mensen klinkt vreemd in deze stoffige wereld. Alles klinkt bedompt en grijs, net zoals de wereld er nu uitziet. Alsof het geluid van de stemmen niet weg kan. Weer beweegt de grond onder hem. Automatisch pakt iedereen elkaar vast. Sonson grijpt de knie van Mano.

[2] Mensen met een witte huidskleur worden in Haïti 'blanc' genoemd. Deze naam komt nog uit de tijd van het slaventijdperk. Zie achter in het boek.

Het meisje naast hem staat op, maar valt na drie stappen weer op de grond.
'Jezi tounen - Jezus komt eraan!' roept Snoepjesoma. Terwijl ze praat, schudt haar hele lichaam. Niet lachend, maar bang.
Als Jezus terugkomt, denkt Sonson, is het toch feest? Die komt toch op de wolken met licht en mooie witte kleren? Dit trillen komt vanuit de aarde. Niet van boven waar de wolken zijn. Dit is een grote, doffe, grijze ellende!
Elke keer komen de schokken terug. Soms duurt het even, en soms komen er trillingen heel snel achter elkaar. Na elke schok beginnen de mensen te bidden en te roepen tot Jezus. Op de achtergrond hoort Sonson het gerommel van stenen. Mensen die achter hem zitten, huilen zacht.
'Niet nog meer', kreunt Snoepjesoma zacht. Ze wrijft met haar handen over haar dikke benen en klopt het stof van haar rok af. Het meisje dat naast Sonson zat, staat voorovergebogen aan de kant van de weg. Ze moet overgeven.
Er komt een lange jongen op de groep af strompelen. Hij wordt ondersteund door twee mannen. Aan zijn rechtervoet gaapt een grote open wond. Rood bloed en grijs stof loopt over zijn voet door elkaar heen. Hij gaat naast Mano zitten. Een mevrouw met een jerrycan met water en een lap die er niet echt fris uitziet, knielt bij de jongen neer. Voorzichtig wast ze de wond aan zijn voet. De jongen kermt zacht en sluit zijn ogen.

'Moet je kijken!' Mano port hem in zijn zij. Hij wijst naar een paar mannen die het slappe lichaam van een grote man dragen, en naar een grote hoop lopen. Sonson rilt. Op die hoop liggen slappe lichamen van mensen en kinderen op elkaar gestapeld, dode lichamen. Zoveel doden heeft hij nog nooit bij elkaar gezien.
Zou daar ook het meisje bij liggen op wie hij in de gang getrapt heeft? Even sluit hij zijn ogen. Een traan rolt vanuit zijn rechteroog langs zijn neus. Met de punt van zijn tong likt hij het zoute

vocht op. Waarom heeft hij haar niet overeind geholpen? Hij legt zijn mond in zijn elleboog en bijt zachtjes in zijn vel, haalt diep adem en slikt. Mano kijkt naar hem.
Sonson trekt zijn wenkbrauwen op. Maar er komen geen woorden uit zijn keel.
'Mano, kom met me mee, dan gaan we naar onze kerk. Daar zijn misschien meer mensen.' Een kleine magere man trekt Mano aan zijn arm overeind.
'Wacht even Eris, hij gaat ook mee', zegt Mano en hij wijst naar Sonson.
'Dit is Eris, mijn zondagsschoolmeester van de kerk', zegt hij tegen Sonson.
Sonson staat op en loopt met bonkend hoofd achter de magere man en Mano aan. De straten waar hij door loopt, kent hij. Maar nu ziet alles er anders uit. Groepjes mensen zitten midden op de weg. Gewonden worden geholpen door omstanders. Er rijdt geen enkele auto. Aan de kant van de weg liggen dode lichamen. Mannen, vrouwen, kleine kinderen en jongens en meisjes van zijn eigen leeftijd. Sonson bijt op zijn lip. Hij had hier ook kunnen liggen.
Ze lopen door de drukke John Brownstraat, waar het op gewone dagen altijd een vrolijke drukte is. Op John Brown moet je zijn als je goedkoop en lekker boodschappen wilt doen. De vrouwen aan de kant van de weg bieden altijd tegen elkaar op. Echt een plaats waar je grappen kunt uithalen.
De manden met koopwaar liggen aan de kant van de weg. Zoete aardappels, snoepjes, rijst, stukken zeep en wit meel liggen over de straat uitgestrooid. Een paar vrouwen staan gebukt te zoeken en proberen in een plastic zak nog wat te verzamelen.
Ze lopen door. Het wordt bij elke stap donkerder. Sonson struikelt bijna over een verdwaalde steen midden op de straat. Hij kan zijn evenwicht nog net bewaren. De straten waar hij door loopt, kent hij niet. Of wel? Alles is zo raar grijs en dof. Mano en Eris praten

niet, maar lopen stevig door. Alles kleeft en voelt korrelig aan. Er zitten scheuren in het asfalt van de weg. Het lijkt wel alsof er geen einde aan deze wandeling komt.
Opeens staat hij stil.
Waarom gaat hij met Eris en Mano mee? Kan hij niet beter op zoek gaan naar Rhodé en Sebastian? Rhodé ging vanmiddag naar school. Ze wil zuster worden. Sebastian heeft vandaag zijn werkdag op het computerbedrijf. Waar moet hij hen zoeken? Misschien lopen ze nu ook door de stad.
Eris en Mano zijn al aan het einde van de straat. Door de grijzige mist ziet Sonson ze nog net rechts de hoek om gaan. Hij holt achter ze aan.
Hijgend komt hij bij Eris en Mano aan. Die houden net hun pas in en slaan nog een keer rechts af. Ze staan naast een groot ijzeren hek dat half op de grond steunt. De muur waar het hek aan hangt, is voor de helft afgebrokkeld. Als ze het hek door zijn, ziet hij de binnenplaats van de kerk. De stenen vloer loopt schuin omhoog naar de kerk, die hoger staat dan de straat waar hij net op liep. Op de binnenplaats zit het vol met mensen en kinderen. Het is er vreemd stil. Achter de groep mensen staat de grote, witte kerk statig overeind. In het schemerdonker lijkt het gebouw licht te geven.
'Dit is mijn kerk, hier ga ik elke zondag naartoe', zegt Mano en hij slaat een arm om Sonson heen. Dat voelt goed.
Ze blijven stil voor de groep mensen staan. Sonson kijkt omhoog. De lucht is donker. Hier en daar twinkelt er een ster. Hij ademt diep in. De lucht ziet er net zo uit als anders.
'Hé Mano, kom maar bij ons zitten.' Een kleine tengere vrouw met een schorre stem wenkt naar hen. Sonson schrikt van de stem. Mano pakt hem bij de hand en loopt naar haar toe. Ze wiegt een huilend baby'tje op haar arm.
Sonson gaat zitten en zucht diep. Hij is moe en heeft dorst. Hoe laat zou het eigenlijk zijn? Zeven uur of acht uur, gokt hij. Dan beeft de aarde al drie uur lang! Wat moet hij doen? Hij voelt zich

verloren. Weer trilt de aarde. De vrouw met de baby gaat rechtop zitten.
'Nee, niet weer. Help ons Jezus', mompelt ze zacht.
Een paar grotere jongens komen aanlopen. Ze hebben een tet gridap[3] bij zich en steken die aan.
Sonson kijkt om zich heen. Voor de grote groep mensen staat een donkere schim.
'Mensen', zegt de man, en hij kucht.
'Dat is Eris', fluistert Mano in zijn oor.
'Mensen, laten we deze nacht bidden en zingen. Laten we God vragen of Hij ons wil helpen. Dat is het enige wat ik tegen jullie kan zeggen.'

Helemaal aan de andere kant van de groep begint een groepje vrouwen zachtjes te zingen. De rest van de groep neemt het geleidelijk aan over. Sonson kent het lied wel. Ondanks zijn droge keel zingt hij zacht maar brommerig mee:

Bondye ou fidel	*God, U bent trouw*
Bondye pam nan ou fidel	*Mijn God, U bent trouw*
ou leve m anlè	*U tilt mij op*
e ou pote fado m yo	*U draagt mijn lasten*
ou ban mwen lavi	*U geeft mij het leven*
e seche dlo nan je mwen	*En droogt de tranen in mijn ogen*
ou toujou la	*U bent er altijd*
ou se Bondye fidel	*U bent de trouwe God*

Het is even stil. Dan zet een andere vrouw een nieuw lied in. Het ene na het andere lied wordt zacht gezongen. Als er weer schokken vanuit de aarde komen, roept iedereen tot God. Sonson zit nog steeds met zijn voeten opgetrokken en met zijn kin op zijn

3 Klein olielampje, zo groot als een colablikje, waar olie in gedaan wordt. Veel Haïtianen hebben zo'n lampje in huis voor als ze geen stroom hebben of voor het geval de stroom uitvalt.

knieën. Weer een grote schok. Hij sluit zijn ogen, maar doet ze snel weer open. Met dichte ogen voel je de schokken alleen maar erger.
'Hoe lang gaat dit nog duren?' vraagt Mano aan hem.
'Als we dat zouden weten', antwoordt Sonson.

Eris is na een wandeling langs alle groepen tussen Mano en Sonson in komen zitten. De vrouw met de baby zit tegenover hen. Hij legt zijn ene hand op de blote knie van Mano en omknelt met zijn andere grote hand de knie van Sonson.
De baby is gestopt met huilen. De vrouw wiegt nog steeds met haar lichaam heen en weer. Sonson ziet het hoofdje van het kind slap in de armen van de vrouw liggen. Het slaapt.
'Crayon Bon Dye pa gen gom, jongens, het potlood van God heeft geen gum. Toch zorgt Hij nu voor mij', zegt de vrouw. Haar stem klinkt minder schor.
Ja logisch, er is geen gum die de grote chaos en het puin weg kan vagen, denkt Sonson. Wat raar dat ze dit zegt. Maar zijn hoofd is te zwaar en te vol om nog meer vragen te stellen. Het liefst zou hij een grap vertellen en zo hard lachen dat alle vragen in zijn hoofd zouden verdwijnen.
Hij draait zich met zijn rug naar Mano toe en leunt tegen hem aan. Met zijn hoofd op zijn opgetrokken knieën probeert hij te slapen.

Hoofdstuk 3

'Ik ga.' Sonson rekt zich uit. Hij strekt zijn lange armen in de lucht en met zijn tenen zet hij zich af tegen de grond en strekt zijn benen. Hij is stijf van de hele nacht op stenen zitten en liggen. Van slapen is niet veel gekomen. De naschokken van de aardbevingen voelde je flink. En zijn hoofd was vol gedachten. Hij wil weg hier. Op zoek naar Sebastian en Rhodé. Zouden ze nog leven? Sonson trekt zijn schouders naar achteren, zodat zijn schouderbladen elkaar raken.
Daar moet hij niet aan denken, zolang hij nog niets weet, kan het.
'Ga je met me mee? Dan zoeken we eerst jouw vader en moeder op en dan mijn broer en zus.' Sonson kijkt Mano aan, die slaperig rond zit te kijken. Die schudt hard met zijn hoofd.
'Nee, echt niet. Ik zag net op een horloge van een vrouw dat het pas acht uur is. Veel te vroeg om al weg te gaan. En Eris helpt me om mijn vader en moeder te vinden. Zeker weten! Hij wil jou ook echt wel helpen hoor. Blijf hier, joh. Je weet niet wat je tegen gaat komen in de stad. Moet je kijken wat een troep het daar is!' Mano wijst met zijn hand naar het hek dat openstaat.
De straat ligt vol met stenen en puin. Mensen zitten aan de kant van de weg met vieze, stoffige kleren of lopen in groepen voorbij. Iedereen praat met elkaar. Er rijdt stapvoets een grote, rode auto voorbij met een open laadbak. Een vrouw loopt naar de chauffeur toe en wijst naar links.
Sonson haalt zijn schouders op. 'Troep? Daar zijn we toch niet bang voor?' Hij probeert een grap te maken maar na zo'n nacht lukt dat slecht.
'En,' gaat hij verder, 'wat moet ik zien? Niks bijzonders toch? Hetzelfde als gisteren. Alleen voel je niet zoveel schokken meer. Ik ga

mijn broer en zus opzoeken. Ik wil weten waar ze zijn.'
Mano schudt weer zijn hoofd. 'En als ze dood onder het puin liggen, wat doe je dan?' vraagt hij zacht.
Sonson klopt zijn blauwe schoenen tegen elkaar aan. De stofwolken vliegen in het rond. Hij gooit zijn schoenen voor zich neer en stapt erin. Hij kijkt Mano even aan, maar hurkt dan om zijn veters dicht te doen. Hij denkt na over Mano's vraag. Zijn veters trekt hij een paar keer los om ze nog steviger aan te trekken. Dan staat hij op, trekt zijn bloes recht en drukt zijn lippen stijf op elkaar.
Langzaam zegt hij: 'Ik ga Rhodé en Sebastian zoeken.'
Hij pakt de hand van zijn vriend stevig vast, trekt die naar zich toe, zodat Mano wel overeind moet komen en drukt hem dan even stevig tegen zijn borst aan.
'M'ale - ik ga', zegt hij schor. Hij laat Mano weer los, haalt zijn neus op en draait zich met een ruk om. Dan loopt hij het hek door, de straat op.
Even staat hij stil voor het hek. Waar is hij precies? Als hij naar links kijkt, ziet hij de John Brownstraat. Eerst daar maar naartoe lopen, dan weet hij het wel weer. Op straat groet iedereen elkaar. Overal staan groepjes pratende mensen langs de weg. Ze praten over de beving, over de mensen die gestorven zijn of over de gewonden.
Sonsons hoofd bonkt en zijn ogen zijn vochtig.
Nu is hij alleen. Stel je voor dat Sebastian en Rhodé inderdaad onder het puin liggen. Hij loopt voorbij een rode auto die aan de voorkant half onder een groot stuk muur ligt. Een grote, dikke man leunt tegen de achterkant. Hij staart hem recht aan met zijn armen over elkaar.
'Bonjou[4]', zegt Sonson. De man zegt niets terug. Het lijkt wel alsof hij hem niet ziet.
Hij wandelt verder. Op de hoek van de straat is een groot gebouw in elkaar gestort. Het lijkt wel een platgestampte boterham. Grote

4 Goedendag in het Creools.

ijzeren staven steken erbovenuit. Er lopen vijf mannen op het neergestorte gebouw. Ze roepen: 'Laat eens wat van je horen!' Daarna staan ze stil en luisteren. Drie vrouwen kijken met de handen in de zij vanaf de straat toe. Hun gezichten staan somber. Zouden ze nog iemand vinden in die puinhoop?
Even staat hij stil, maar als er geen geluid onder het puin vandaan komt en de mannen weer verder het gebouw op lopen, loopt Sonson ook weer door.
Hij gaat rechtsaf op de hoek van de straat. Een nare lucht komt hem tegemoet. Met zijn arm voor zijn neus loopt hij door. Na tien stappen ligt er een dood lichaam van een vrouw op de stoep. Ze ligt onder een deken. Het rode doekje dat ze op haar hoofd droeg, is nog zichtbaar. Hij stapt over haar heen en denkt weer aan het meisje op wie hij gisteren in de schoolhal stond, toen hij de school uit vluchtte.
Waar is hij aan begonnen? Zal hij toch teruggaan naar Mano? Maar hij wil weten of Sebastian en Rhodé er nog zijn. Maar wat doet hij als hij ze op een grote stapel lichamen vindt?
Hij staat stil en zucht weer diep. Hij heeft nog nooit zoveel vragen tegelijk in zijn hoofd gehad.
Met zijn handen als vuisten gebald in zijn broekzakken loopt hij toch weer door. Hij weet in elk geval waar hij is. Gelukkig is hij niet ver van zijn huis vandaan. Het is hooguit tien minuten lopen.
Hoe laat is het eigenlijk? Hij heeft geen horloge om, maar schat dat het ongeveer tien uur is. Gisteren was hij nog aan het voetballen in de buurt met Carlos en Reinaldo. Zouden ze nog leven?
Hij heeft dorst. Een slok water zou geweldig zijn. Voorlopig hoeft hij even niet aan eten te denken. De stank van de dode lichamen maakt hem misselijk.
Nog een paar straten. Het enige wat hij ziet is puin, chaos, rommel. Kreunende mensen met wonden aan hun lichaam. Huilende kinderen die pijn hebben. En hij ziet dode mensen onder een deken of dode mensen zonder deken. Opeens rollen de tranen

over zijn wangen. Zouden Sebastian en Rhodé nog leven? Zoveel dode mensen bij elkaar. Gisteren zou hij bij één dode al geschrokken zijn. Maar hij loopt langs lijken of hij stapt eroverheen alsof het stenen zijn die op de weg liggen.
Iedereen die hij tegenkomt op straat is samen met iemand anders. Niemand is alleen. Is het raar dat hij toch alleen op pad is gegaan?
Hij loopt de straat in waar het huis van zijn broer staat, het huis waar hij woont. Er zijn veel mensen op straat, maar hij kent niemand. Hij kan deze plek wel dromen. Hij knijpt zijn ogen tot kieren om het huis goed te kunnen zien. Hij ziet wel dat het grote huis achter hun huis zwaar beschadigd is. Maar waar is hun huis dan? Zijn adem stokt. Sonson begint te rennen. Hij moet weten hoe het met zijn huis is en waar Rhodé en Sebastian zijn! Hij holt recht op zijn huis af, zonder om zich heen te kijken. Hijgend staat hij stil.
Het grote stenen huis dat achter hun huis stond, is in elkaar gestort, bovenop het golfplaten dak van hun houten huis. Hij trekt zijn schouders hoog op en ademt diep in en langzaam uit. Hier is weinig meer van over. Maar waar zijn Rhodé en Sebastian? Is hij toch alleen? Hij moet gaan zoeken en aan mensen vragen of ze zijn broer en zus hebben gezien. Maar zijn voeten lijken wel met sterke lijm aan de grond vast te zitten. Alles in zijn lichaam doet pijn en voelt zwaar.
'Sonson!'
Kent hij deze stem? Dat is niet Rhodé. Langzaam draait hij zijn hoofd naar rechts. Hij kijkt midden in het gezicht van de buurvrouw. Ze pakt hem beet en begint hard te huilen. Het snikkende lijf schudt tegen hem aan. Haar kin raakt zijn hoofd en bij elke snik voelt hij het puntje van haar kin tegen zijn hoofd bonken.
'Je leeft nog! Het is zo erg. Wat een ellende. Ik ben helemaal alleen. Mijn man is zoekgeraakt, misschien ligt hij wel onder het puin. Ik ga straks naar de buurt van zijn werk. Ik moet hem vinden. Het is zo erg!'

Sonson zegt niks, maar luistert alleen. Zijn hoofd ligt tegen de borst van de buurvrouw aan. Hij heeft maar één vraag: 'Waar zijn Rhodé en Sebastian?' Maar deze vraagt komt niet uit zijn keel.
De buurvrouw laat hem los na nog een stevige omhelzing. Hij duizelt even en sluit zijn ogen. Ze pakt hem bij zijn bovenarmen vast en zegt: 'Kom, we gaan naar je broer en zus. Ik weet waar ze zijn.'
'Leven ze nog?' vraagt hij. 'Waarom zegt u dat nu pas?'
De buurvrouw zegt niks, maar steekt haar arm door zijn arm. Samen lopen ze de straat uit. Op de hoek van de straat is de linkerzijweg veranderd in een verblijfplaats van mensen. Groepen mensen zitten bij elkaar met dekens, tassen, kleren en een paar flessen water.
Hier voetbalt hij altijd met Carlos en Reinaldo.
'Sonson!' Het zijn de stemmen van Rhodé en Sebastian. Ze rennen naar hem toe. Rhodé voorop. Haar haren staan recht overeind en haar witte shirt zit vol zwarte vegen. Sebastian, een hoofd groter dan Rhodé, komt er met zijn gele shirt, joggingbroek en witte sportschoenen achteraan. Rhodé drukt hem tegen zich aan en wiegt zachtjes met haar lichaam heen en weer. De grote hand van Sebastian knelt om zijn pols. Hij ruikt de geur van Rhodé, zijn zus. Dan barst hij in snikken uit. Zijn hele lichaam schudt.
'Ben je helemaal alleen hiernaartoe komen lopen?' vraagt Sebastian als hij hem loslaat. En hij trekt hem aan zijn oor. Sonson veegt zijn tranen snel weg en schraapt zijn keel.
'Ja, helemaal alleen. Mano wilde niet mee, dus ben ik zelf op pad gegaan. Ik wilde weten waar jullie waren. Onderweg zag ik zoveel dode mensen. Ik was echt bang dat jullie er ook niet meer zouden zijn.' Voor het eerst sinds de aardbeving van gisteren voelt hij iets van opluchting.
'Kom, dan gaan we even zitten. Dat is ons plekje.' Rhodé trekt hem mee. Sebastian slentert er met zijn handen in zijn zakken achteraan. Ze gaan in kleermakerszit in een rondje op de straat zitten. Sonson vertelt zijn hele verhaal. Sebastian en Rhodé luisteren.

Af en toe streelt Rhodé hem over zijn bruine blote armen die vol vieze vegen zitten. Dan vertelt hij hoe hij de school uit is gekomen, en dat hij in de schoolhal bovenop een meisje heeft gestaan. Hij moet slikken om niet te huilen.
Sebastian pakt hem bij zijn schouder en schudt hem even flink. 'Een kanjer ben jij!' zegt hij.
'En jullie?' vraagt Sonson.
Sebastian knikt naar Rhodé. 'Vertel jij het maar.'
'Ehm ... ik weet niet waar ik moet beginnen', zegt ze. 'Het was zo veel. Even goed denken.' Even zit ze met haar hoofd gebogen en knijpt haar ogen dicht met haar rechterduim en -wijsvinger. Dan strekt ze haar rug en legt haar handen op de knieën van Sonson en Sebastian.
'Gisterenmorgen ging ik om tien uur naar school met de taptap[5]. Eerst zou ik even Jacqueline bezoeken. Dat had ik jullie nog niet verteld, maar die heeft een ongeluk gehad. Ze is aangereden door een auto. Gelukkig ging het goed met haar. Om twaalf uur ging ik op weg naar school. Aan het begin van de John Brownstraat werd het opeens heel druk. Ik kwam midden in een demonstatie terecht. Heel eng! De mensen met wie ik dus per ongeluk meeliep, demonstreerden tegen president Préval. De mensen die ons tegemoet kwamen lopen, waren vóór president Préval. Ik snap er niks van want presidentsverkiezingen zijn er voorlopig nog niet.'
Ze stopt even en strijkt haar kroeskrullen naar achteren. 'Ik was bang! Dit had ik nog nooit meegemaakt. Jij toch ook niet Sebastian?'
Sebastian schudt zijn hoofd.
'Goed, ik liep tussen de mensen door naar de kant van de straat. Gelukkig kon ik tien stappen verder een zijstraat in schieten. Toen ben ik snel naar school gerend. Daar heb ik mijn verhaal aan de

5 Een soort taxi in Haïti. Meestal een felgekleurde auto met open laadbak waar een zeil over is getrokken waar de mensen in zitten (zie achter in het boek voor een foto).

anderen verteld. Maar niemand luisterde echt. Ik voelde me heel rot. Ze deden net alsof ik gek was. De docent kwam ook nog eens niet opdagen. Na een uurtje ben ik naar huis gegaan. Ik was moe van alles en plofte thuis op de bank neer. Volgens mij sliep ik toen Sebastian thuiskwam. Of niet Sebas?'

'Ja, je snurkte zelfs', vult Sebastian aan. 'Ik dacht: Ik ga lekkere vruchtensap klaarmaken. Als Sonson thuiskomt, kunnen we even wat met elkaar drinken. Dus ik liep naar de keuken. Ik had gewerkt, omdat ik vrij was van de universiteit. Maar ga jij verder, Rhodé.' Sebastian strekt zijn benen naar voren en leunt naar achteren op zijn ellebogen. Rhodé gaat verder: 'Ik lag dus lekker te pitten. Nou ja, niet lekker trouwens. Die demonstratie was heel naar en eng en kwam terug in mijn droom. Ik was een beetje in een vreemde bui. Alsof ik voelde dat er iets ergs zou gaan gebeuren. Opeens schrok ik wakker. De tafel en stoel naast me trilden. Ik zag het schilderij dat papa ons gegeven had naar beneden vallen. Sebastian kwam uit de keuken naar de kamer rennen en riep: "Wegwezen hier!"

Ik had echt niet door wat er allemaal gebeurde, maar Sebastian pakte me beet en sleurde me mee naar buiten. Ik rende achter hem aan. We vielen af en toe om, zo hard schokte alles. Toen we buiten waren, hoorden we een enorm geraas. We keken omhoog en zagen het grote huis dat op een hogere plaats achter ons huis staat in elkaar storten. Dus Sebastian riep weer: "Rennen, wegwezen!" En ik riep: "Jezus help ons, red ons!" Ik rende weer achter hem aan, verder de straat op.'

Rhodé stopt even met praten en slikt. Haar ogen zijn vochtig en zweetdruppels staan op haar voorhoofd. Met haar onderlip naar voren blaast ze in haar gezicht. Sonson pakt haar hand vast en streelt haar.

'We zijn de straat op gelopen, maar er waren net als bij jou heel veel naschokken. Na een paar uur zijn we hier terechtgekomen. We durfden eerst niet naar je toe te gaan, omdat de schokken er nog steeds waren en omdat het donker was. Sebastian is vanmorgen naar de school gegaan om je te zoeken. Je was er niet. Maar nu ben je er!'

Rhodé trekt hem aan zijn armen naar zich toe en omhelst hem.

Hoofdstuk 4

Sonson zit een poosje stil bij Sebastian en Rhodé. Hij kijkt om zich heen. Er strompelt een zwaar gewonde man naar de auto die aan de kant van de weg staat. De man ziet er slecht uit. Sonson heeft nog steeds niet gegeten en zijn maag voelt vreemd. Gelukkig heeft hij al wel wat water gedronken van Rhodé. Af en toe voelt hij weer lichte trillingen onder zijn voeten. Dat zijn naschokken van de aardbeving.
Sebastian staat op. 'Ik ga er weer vandoor, de stad in', zegt hij.
Normaal zou Sonson zin hebben om mee te gaan, maar hij vindt het nu wel even genoeg.
'Kom, wij gaan naar ons huis. Kijken wat we nog kunnen pakken om hier op straat te gebruiken', zegt Rhodé. Sonson krabbelt snel op en loopt achter haar aan.
Binnen vijf minuten staan ze bij de ravage. Rhodé gaat op de kleine binnenplaats van het huis staan. De muren rondom de binnenplaats staan overeind. Achter het huis is het een grote, grijze puinzooi. Er liggen allerlei spullen tussen de stenen. Een oude computer met een barst in het beeldscherm, een stoel met een kapotte poot en een ijzeren pan. Op het golfplaten dak van hun huis liggen grote steenbrokken van het huis dat erachter stond.
Rhodé loopt naar links waar de smalle deur van de keuken is. Die deden ze alleen open als ze kookten. Er liggen stukken golfplaat voor de deur. Het golfplaten dak van de keuken is beschadigd. Er zit een gat in het dak. Naast het gat liggen grote stenen. Sonson krijgt een vreemd gevoel in zijn maag. Hier was Sebastian toen de aarde beefde. Dit is hun huis. Hier hadden ze met z'n drieën plezier. Hier kwamen Carlos en Reinaldo hem altijd ophalen om een

potje te voetballen. Het was er wel niet zo leuk als in Forêt-des-Pins met de mooie bomen en bergen, maar voor Port-au-Prince is het een prima huis.
Rhodé loopt langzaam over de binnenplaats. Van de ene kant naar de andere kant.
'Hier naar binnen gaan is gevaarlijk. Dit kan zo instorten', zegt ze als ze voor de deur van de keuken staat. Ze loopt naar de andere deur. Sonson loopt vlug een stap voor haar uit.
'Dit ziet er stevig uit. Hier kun je volgens mij prima naar binnen gaan', zegt hij en hij loopt in de richting van de deur. Rhodé trekt hem aan zijn bloes terug.
'Eerst goed kijken, dan pas actie ondernemen.'
Sonson snuift. Hij is toch geen klein gozertje meer dat niet weet wat hij moet doen? Hij is ook in zijn uppie hiernaartoe komen lopen vanmorgen! Rhodé tuurt naar het golfplaten dak en loopt naar de deur. Ze doet de deur open en schopt tegen de deurpost aan. Ze loopt een paar stappen achteruit, zet haar handen in haar zij en neemt het huis van boven naar beneden op.
'Dit ziet er inderdaad minder gevaarlijk uit', zegt Rhodé na een paar minuten. Ze loopt weer naar de deur en trekt deze voorzichtig open.
Zie je wel, hij zei het toch?
In de kamer is het een rommel. De bank staat schuin in de kamer. Het schilderij van papa ligt kapot op de grond. Een fles water is leeggestroomd in de linkerhoek van de kamer. Het is schemerig. Hij moet even aan de schemering wennen om alles goed te kunnen zien. Rhodé loopt voorzichtig rond en pakt de deken van de bank.
'Hou vast, die kunnen we goed gebruiken vannacht.' Ze opent in de hoek van de kamer een doos waar kleren in zitten. Boven op de kleren ligt een grote, witte plastic zak opgevouwen.
'Hou even open, wil je?' vraagt Rhodé, terwijl ze aan de plastic tas schudt.

Met de deken onder zijn arm houdt hij de grote zak open voor Rhodé. Ze stopt snel en netjes een paar broeken, shirts en rokken in de zak. Met haar handen in haar zij kijkt ze even rond. Dan hurkt ze neer op de grond en rolt onder de bank een plastic box naar voren. Ze pakt er drie handdoeken, een stuk zeep, een kam en twee rollen biscuit uit en propt die in een andere plastic zak. Even gaat ze op het puntje van de bank zitten. Met haar hand onder haar kin kijkt ze in het rond. Sonson loopt met zijn handen in zijn zakken een rondje door de kamer. Vreemd dat ze hier twee dagen geleden nog gezellig zaten te kletsen met elkaar.
'Hadden we nog meer eten in de kamer? Het meeste eten staat in de keuken en daar kom ik liever niet. Levensgevaarlijk!' zegt Rhodé.
Sonson kijkt nog een keer in het rond.
'Geen eten. Maar achter de bank ligt nog een deken en daar hebben we ook die grote, dikke plastic zakken liggen, die papa uit Forêt-des-Pins had meegenomen, met zoete aardappels erin', zegt Sonson.
'Goeie van jou, die kunnen we gebruiken om op te zitten.'
Met volle tassen en de dekens onder hun armen verdwijnen ze. Een kapot huis met een dak boven je hoofd is toch eng. Straks komen er naschokken en stort ook de kamer verder in.
Rhodé en Sonson lopen terug naar hun plekje. Een moeder met twee kleine kinderen heeft het voor de helft ingenomen. De vrouw zit voor zich uit te staren. Haar dochtertje heeft een groot verband om haar hoofd. Het jongetje heeft een zwachtel om zijn rechterarm en rechtervoet. Ze hangen tegen hun moeder aan.
De tas van Rhodé die op hun plekje stond, heeft ze wat opgeschoven. Rhodé zegt niks, maar zet de tas weer een halve meter terug.
'Kom eens hier met de plastic zakken', zegt ze tegen Sonson die naar de vrouw kijkt.
Sonson schrikt op en geeft ze snel aan. Je kunt wel zien dat Rhodé voor verpleegster leert. Binnen een paar minuten heeft ze een bed

gemaakt van plastic zaken en dekens, met de kleren als kussen.
'Kleed je eerst maar om, dat schooluniform zal ook niet meer lekker zitten', zegt ze.
'Ik haal even de bankkussens uit het huis, dan kan één persoon zacht slapen vannacht.' Ze rent weg. Sonson trekt zijn broek uit, verwisselt het voor een blauwe joggingbroek en trekt een rood poloshirt over zijn hoofd. Hij probeert de korreltjes cement op zijn buik met zijn nagels ervan af te krabben. Alles ruikt muf. Naar zand, steen en stof. Ook zijn schone kleren.
Als hij helemaal aangekleed is, gaat hij op het pasgemaakte bed zitten.
Rhodé komt met een paar kussens aanslepen. Alleen haar kroeshaar kun je nog zien. Verder is het een berg kussens voor haar. Sonson moet grinniken. Echt Rhodé. Die regelt graag.
'Zo, vannacht slaap jij lekker zacht. Midden tussen ons in. En de volgende nacht is Sebastian aan de beurt.'
Sonson trekt de dekens weg en legt de kussens in het midden van de witte plastic zakken. Daarna trekt hij samen met Rhodé de dekens recht. Rhodé slaat nog eens op de kussens. Dat levert een grote grijze stofwolk op. Rhodé en Sonson moeten alle twee hoesten. Ze moeten voor het eerst na de aardbeving echt lachen. Ze gaan op de zachte kussen zitten en kijken wat in het rond. Rhodé zingt soms met een lied mee dat de vrouwen zingen. Mensen lopen af en aan met spullen die ze uit hun huizen hebben geplukt. Iedereen probeert een plekje klaar te maken voor de nacht die komen gaat. Soms schrikken ze op door een schok. Dan gaat iedereen direct zitten. Sommige mensen roepen 'Jezus, help!' Die zin heeft Sonson veel gehoord deze dagen. Niemand slaapt in een huis. Bang dat er weer zo'n grote beving komt.

De zon verdwijnt langzaam achter de wolken. Het wordt schemerig en koud. Van alle kanten komen mensen met olielampjes aan. Sebastian is terug van zijn tocht door de stad. Zijn kleren zitten

onder de modder en het bloed. Zijn hoofd is nat bezweet.
Rhodé pakt rollen biscuit en een flesje water dat ze nog in huis vond. Het wordt koud. Ze kruipen tegen elkaar aan onder de deken en eten een paar biscuits. Sonson ligt in het midden. Naast hen ligt de moeder geknield tussen haar slapende kinderen in. Ze bidt huilend: 'Jezus vergeef me als ik iets fout heb gedaan, maar breng alstublieft mijn man weer terug. Ik heb hem nodig. Jezus help mij.'
In het schemerdonker hoor je meer mensen zacht praten, bidden of zingen. Iedereen is verdrietig en bang.
Sebastian vertelt zachtjes over zijn tocht door de stad.
'Ze zeggen dat het alleen in Port-au-Prince en Leogane een chaos is, maar in Leogane is het erger dan hier. Over de rest van het land heb ik niks gehoord. Hopelijk zijn papa en mama en de rest in veiligheid.'
'Wat heb je de hele dag gedaan?' vraagt Rhodé.
Sebastian draait zich op zijn zij, steunt met zijn elleboog op de straat en legt zijn hoofd in zijn grote hand.
'Dat ga ik niet zeggen. Beroerdigheid. Een en al ellende. Dat heb ik gezien.' Sebastian gaat iets harder praten. Sonson hoort Rhodé naast hem een diepe zucht slaken.
Hij doet zijn ogen dicht. Hoe zou het in Forêt-des-Pins zijn, bij papa en mama? Het liefst zou hij daar zijn, plezier maken. Lachen om gekke grappen en alle ellende vergeten!
Het is een poosje stil.
Dan voelen ze weer een grote schok. Ze springen overeind en gaan toch maar verder van de muur vandaan liggen. Het is geen hoge muur, maar stel je eens voor dat er een steen op je valt.
'Is het een aardbeving of komt Jezus terug?' vraagt Sonson aan Rhodé als ze weer liggen.
Rhodé haalt haar schouders op.
'Het is een aardbeving, maar Jezus komt misschien ook wel terug. Ik weet het niet', zegt ze.

Sebastian is weer op zijn zij gaan liggen met zijn hoofd op zijn rechterarm gesteund. Hij staart naar het lampje dat naast Rhodé staat. Het is weer even stil.
'Hé Sebastian,' zegt Sonson, 'heb jij nog iets van Carlos en Reinaldo gehoord? Jullie zeggen niks over ze. En ik heb ze de hele dag nog niet gezien. Ook hun vader en moeder niet. Zijn ze naar een andere plaats gegaan?'
Het licht van het olielampje flakkert in het gezicht van Sebastian. Er verschijnt een dikke rimpel boven zijn neus. Sonson draait zich om en ziet Rhodé rechtovereind zitten. Ze legt haar hand op zijn rug. Zachtjes streelt ze hem. Haar zwarte kroeshaar staat rechtovereind.
Sebastian kucht en wrijft over zijn mond en kin.
'Ja, Reinaldo is met zijn moeder vertrokken. Ze wilden de stad uit naar het platteland waar zijn oma woont.' Even is het stil. Sonson voelt zijn hele lijf strak gespannen staan. De spieren in zijn benen doen er pijn van. Hij trekt zich langzaam op en leunt met zijn ellebogen in de kussens. Sebastian praat met een stem alsof hij iets ergs gaat vertellen.
'Ja ... en Carlos?' vraagt hij.
'En Carlos ...', Sebastian kucht weer. 'Carlos leeft niet meer. Hij was op school en het lokaal waar hij was, stortte als eerste in van het hele gebouw. Zijn moeder heeft hem gevonden tussen de andere lichamen van de kinderen van school.'
Sebastian zit ook rechtop. Hij staart Sonson aan. Rhodé kruipt naast hem op de kussens en trekt zijn hoofd op haar schoot. Met haar vingertoppen trommelt ze zachtjes op zijn rug en strijkt hem door zijn stugge kroeshaar.
Sonson voelt de tranen branden en kan ze niet tegenhouden. Hij laat ze gaan.
Hij sluit zijn ogen en ziet het lachende gezicht van Carlos voor zich, de gekke bewegingen die hij maakte als hij wilde scoren. Hij voelt de stomp die Carlos de laatste keer gaf toen hij een tegen-

doelpunt scoorde. Gaat hij hem nooit meer zien? Gaat hij nooit meer voetballen met hem?
Nooit? Wat een naar woord is dat.

Hoofdstuk 5

'Welke dag is het vandaag?' vraagt Sonson aan Rhodé.
'Donderdag, twee dagen na de aardbeving', antwoordt ze.
Ze zitten al een poosje op de dekens. Vannacht hebben ze een beetje geslapen. De schokken die elke keer weer terugkomen, maken Sonson bang. Wanneer zouden ze stoppen? En wat voor een grote schokken kunnen ze nog meer verwachten? Op straat ben je het meest veilig. Als je maar niet te veel in de buurt van muren bent.
Sonson zit op de dekens en staart voor zich uit.
Carlos is er niet meer. Een raar idee is dat. Hij gaat Carlos nooit meer zien. Nooit. Gisteren dacht hij dat hij wel weer zou kunnen lachen en grappen maken. Maar nu is alles anders. Zijn voetbalvriend is gestorven. Het voelt leeg van binnen.
Sebastian is weer de stad ingegaan om te helpen. De vrouw met de kleine kindertjes ligt plat op haar rug op een deken naast hen. Af en toe hoor je haar huilen. De twee kinderen kruipen over haar heen of trekken aan haar hoofddoek. De vrouw reageert niet. Rhodé pakt haar rol biscuit en deelt twee koekjes uit aan de kinderen. Ze pakken het koekje lachend aan. Dan pakt ze haar kam en staat op om haar haren te kammen. Iets verderop kloppen twee vrouwen een bruine deken uit. Kleine kinderen lopen om hen heen.
Er komt een groep jongens op hen af rennen.
'Hé jongens, er zijn trucks uit de Dominicaanse Republiek gekomen met eten en drinkwater. Ze rijden door de stad!' schreeuwt de grootste jongen van de groep. Hij heeft een knalgeel shirt aan met bruine vegen en een groene pet op zijn hoofd.
Sonson gaat staan en loopt naar hen toe.

'Waar zijn ze dan?' roept Rhodé die kammend achter hem staat. De jongen haalt zijn schouders op.
'Weet ik veel. Ze komen in lange rijen de stad binnenrijden. Kijk zelf maar.' Hij wijst in de richting van de John Brownstraat. Rhodé kamt haar haren strak naar achteren en bindt ze met een elastiek in een klein staartje vast.
De jongens rennen weer weg. Een grote groep mensen loopt half hollend achter hen aan. Sonson staart ze met zijn handen in zijn nek na.
Zal hij ook meegaan? Wie weet kan hij een grote fles water bemachtigen. Het laatste flesje van Rhodé is nog voor de helft gevuld.
'Ik ga effe kijken op de John Brown. Wie weet rijden ze daar al en kan ik water krijgen', zegt hij.
Rhodé knikt. 'Ik zie je zo wel. Ik heb geen zin in die drukte.' Ze bukt zich voorover en stopt de kam bij hun kleren en handdoeken in de plastic tas. De vrouw met de twee gewonde kinderen zit ook overeind. Rhodé gaat naast haar zitten en trekt een kleintje op schoot.
'Tot zo!' zegt ze.
Sonson holt de straat in waar hun huis staat. Even kijkt hij naar links en ziet het in elkaar gezakte krot dat vroeger hun huis was. Dan rent hij verder. De grote mensenmassa achterna.
In de straten is het opeens een en al actie. Iedereen gaat de groep jongens achterna. Aan het einde van de straat gaan ze linksaf.
Vreemd, niemand kijkt meer naar de dode lichamen aan de kant van de weg. De meeste mensen houden automatisch hun handen of armen voor hun neus. Sommigen dragen een mondkapje.
Aan het einde van de brede weg stroomt een grote groep mensen naar een rij van zes witte trucks waar met grote, zwarte letters VN op staat. Ze staan dwars over de weg. Het zijn grote wagens met laadbakken waar grote zeilen om vastgebonden zijn. Zou daar water of iets eetbaars in zitten?

Het lijkt wel Forêt-des-Pins op zaterdag als het markt is, flitst het door Sonson heen.
Alleen zie je hier niet vrolijke mensen die iets verkopen.
Met zijn ellebogen duwt hij de mensen van zich af. De lichamen plakken net zo vervelend tegen hem aan als in de schoolhal. Hij blaast zijn wangen vol lucht. Dat moment in de schoolhal gaat hij zijn leven lang niet meer vergeten. Het zwevende plafond boven hem en de juffen, meesters en kinderen rondom hem, het meisje op wie hij stapte, Mano die aan hem trok en hijzelf die aan Mano trok. Waar zou Mano zijn?
De mensen schuifelen langzaam naar voren. Er gaan armen de lucht in. Boven het zwarte kroeshaar en de kleurige petten van de mensen uit ziet hij een paar blauwe helmen. Het zijn VN-soldaten die mensen in het gareel proberen te houden. Een man heeft een knuppel bij zich waarmee hij de mensen voorzichtig in rijen probeert te krijgen. Langzaam duwt hij de mensenmassa naar de kant van de weg. Maar van de zijkant af stromen er weer nieuwe mensen naar de hoge witte trucks toe.
Een andere soldaat roept iets door een megafoon. Sonson hoort niet goed wat hij zegt. De mensen gaan nog harder roepen. De soldaten lopen langzaam achteruit. De joelende menigte duwt ze steeds meer naar achteren. Als ze bij de trucks zijn, springen ze in de cabine en geven gas. De grote trucks rijden langzaam door de mensenmassa heen. Sonson wordt met de mensendrom meegesleurd naar de zijkant van de straat. Hij krijgt een stoot op zijn neus van een elleboog voor hem. Een man voor hem wordt omver geduwd. De motoren van de trucks ronken harder en rijden stevig door. Als de trucks voorbij de mensen zijn, wordt het rustiger. Even later kijken de mensen de rookwolken van de wagens na.
Sonson probeert uit de mensenmassa te komen en rent een zijstraat in. Als je deze straat uitgaat en je gaat aan het einde rechts en dan direct links, kom je weer op de brede John Brownstraat. En misschien is hij dan wel de grote mensenmassa voor. Hij rent ste-

vig door en gaat de hoek van de straat om. Daar zit een oudere vrouw met een deken over haar benen die vooruit steken. Ze houdt haar hoofd naar achteren. Een jongere vrouw staat voorover gebukt en kijkt naar de hoofdwond van de oudere vrouw. Met een wit doekje en een flesje maakt ze de wond schoon.
Sonsons keel voelt alsof hij kranten heeft gegeten. Hij heeft zin in een slok water. De zon schijnt fel op zijn hoofd. Jammer dat hij zijn pet niet bij zich heeft. Misschien heeft Rhodé hem in de tas gedaan. Hij zal straks even zoeken.
Hier moet hij linksaf slaan, dan is hij op de brede John Brownstraat. Hij draait zich even om en ziet in de verte de mensendrukte. Snel rent hij door. Hij is vlak bij het paleis. Gisteren zeiden ze dat het paleis ook was ingestort, dat wil hij zien! Hij gaat linksaf de brede weg naar het paleis op. In het midden van de weg is een breed middenstuk waar je kunt lopen. Daar prijkt het grote standbeeld dat in 2004 is geplaatst ter herinnering aan tweehonderd jaar onafhankelijkheid. En daarachter staat het mooie beeld met het paard. Vader kan daar altijd hele verhalen bij vertellen. Net als bij het standbeeld van de weggelopen slaaf. Toen hij hier de laatste keer met papa liep, vertelde die over de geschiedenis van Haïti. Hoe vroeger de slaven hier moesten werken op plantages. Een erge tijd was dat, volgens vader. Wat zou vader zeggen als hij nu naast hem zou lopen? Tussen de mooie standbeelden in zitten mensen bij elkaar. De standbeelden staan nog rechtovereind. Sonson steekt de straat over. Tussen de zwarte spijlen van het hek door ziet hij het immens grote paleis. Het is in elkaar gezakt.
Wat een vreemd gezicht. De mooie tuin ligt er nog netjes bij, het groene gras, de kleurige bloemen. Voor het paleis wappert de vlag van Haïti met haar blauw-rode kleuren. Het middenstuk van het paleis, met de dakkoepel, is in elkaar gezakt. Alsof de koepel te zwaar was voor de mensen. De allerhoogste koepel van het paleis, helemaal rechts, staat ook scheef op de muren. Het ziet ernaar uit dat het elk moment kan omvallen. De grote deftige tuinpaden voor

het paleis passen niet meer bij het gebouw. Ze zijn te netjes voor het slordige gebouw waar elk moment weer een brok steen van af kan vallen. De trots van Haïti ligt nu in puin. Er lopen meer mensen langs het paleis.
'Ja jongen, daar ligt onze trots. Zelfs de president heeft vannacht niet in zijn eigen bed geslapen. Heb je het belastingkantoor al gezien? Het ligt als een platte pannenkoek in elkaar', zegt een man die naast hem is komen staan. Sonson kijkt op. De man draagt een pet met de kleuren van de vlag.
'Nou, dat is toch mooi? Als het belastingkantoor is ingeklapt, dan duurt het weer even voordat ze geld aan de mensen gaan vragen', zegt Sonson.
De man lacht en zegt: 'Ja, als alleen het paleis en het belastingkantoor beschadigd zouden zijn, dan was er niks aan de hand. Maar loop maar eens door de stad, je ziet dat rijk en arm getroffen zijn. Het is niet te geloven. Ik ga weer verder. Sterkte.'
Sonson kijkt nog een keer door de spijlen van het hek naar het paleis. Leuk dat hij die man even sprak. Hij voelt zich even wat lichter na al het verdriet dat hij op straat is tegengekomen.
Hij wil terug naar Rhodé. En dan zal hij toch weer door de straten moeten lopen waar iedereen verdrietig kijkt, huilt of gewond is. Hij wil weg uit deze nare toestand. Waarom gaan ze niet naar papa en mama in Forêt-des-Pins? Dan kan hij even alles vergeten.
Hijgend komt hij bij Rhodé aan. Hoe lang is hij weggeweest? Ze zit nog steeds bij de vrouw met de twee kinderen. De vrouw leunt met haar hoofd op een tas, haar ogen zijn gesloten.
Rhodé wenkt hem. 'Kom eens hier. Kijk!' Ze springt overeind en houdt triomfantelijk een grote fles water in de lucht.
'Jij rent er een eind voor, maar drie straten verderop is er een grote watertank aangekomen. Die jongen daar,' Rhodé wijst met haar hoofd naar rechts, 'heeft voor mij in de rij gestaan. Hij kwam terug met een volle fles.'
Rhodé houdt de fles aan Sonson voor. Hij neemt een slok en laat

een paar druppels op zijn lippen vallen. Lekker! Dan staat hij weer op.
'Rhodé, waarom blijven we eigenlijk hier?' vraagt hij. 'Ik wil weg uit deze nare stad. Laten we naar Forêt-des-Pins gaan. Wat doen we hier nog?'
Hij staat wijdbeens voor haar, met zijn armen over elkaar. Hij krabt over zijn arm op een plekje dat jeukt. Rhodé heeft net een slok water genomen en veegt haar mond af.
'Laten we straks aan Sebastian vragen wat we het beste kunnen doen. We hebben hier inderdaad niks meer te zoeken. Maar ik weet helemaal niet of er bussen rijden. Misschien heeft Sebastian het gehoord in de stad?' Ze zoekt in de twee grote, plastic tassen naast haar, en gooit zijn rode pet naar hem toe. 'Hier, en ik heb ook nog wat koekjes voor je.'
Hij neemt er een. Zijn maag voelt vreemd. Hij wil eten, maar toch ook weer niet. Met schone kleren aan dacht hij zich beter te voelen, maar met de hete zon zweet je en stinken je kleren zo weer. Na twee happen van zijn koekje heeft hij eigenlijk geen zin meer. De laatste hap eet hij met tegenzin op.
Sonson is moe van zijn tocht door de stad. Hij pakt de grote, plastic zak van Rhodé op en gooit hem op de bankkussens. Hij zakt door zijn knieën en ploft languit neer op het kussenbed met de zak onder zijn hoofd. Zijn ogen voelen zwaar.

Als hij na een poosje zijn ogen opendoet, is het donker. Hoelang heeft hij liggen slapen? Hij krabbelt overeind en wrijft hard in zijn ogen. Dan strekt hij zich op zijn bed uit. Hij gaapt. Er ligt niemand hier. Waar is iedereen? Hij kijkt om zich heen. Hij wrijft extra hard in zijn gezicht. Hij droomt toch niet? Hoort hij wat?
In de verte ziet hij een groep mensen bij elkaar zitten. Hij staat snel op en loopt ernaartoe. Sebastian en Rhodé wenken hem. Ze luisteren naar de gesprekken, maar praten niet mee.
Sonson zucht diep. Alles is zo rustig hier. Alsof er geen aardbeving

is geweest. Is hij zo rustig omdat hij geslapen heeft, of omdat het hier zo vredig is?
De schemer, de olielampjes en de zacht zingende stemmen maken het misschien wel zo mooi ...

De stilte wordt opeens ruw verstoord. Er komt een grote, dikke mevrouw regelrecht op de zingende en biddende mensen af hollen.
'Een tsunami! Er komt binnen nu en een uur een tsunami. Wegwezen hier. We verdrinken! Echt waar, ze zeggen het allemaal in deze wijk. Ik waarschuw jullie. Wegwezen hier!'
Haar armen slaan wild in het rond. Haar gele hoofddoek steekt fel af tegen het donker. Sonson grijpt Rhodé vast die hem hard overeind trekt. Sebastian pakt hem bij zijn shirt beet.
'Hollen, wegwezen hier!' schreeuwt hij schor in zijn oren.
Waar gaan we heen? Waar moeten we naartoe als er een tsunami komt? Dan komt het water toch overal?
Sonson snapt er niks van. Zijn benen zijn eigenlijk te moe, maar hij holt voor Sebastian uit, met de grote groep mee. Hij struikelt bijna over een steen, maar de grote hand van Sebastian grijpt hem vanachter vast in zijn polokraag.
Achter hem schreeuwt een man: 'Het zal niet de eerste keer zijn dat er na een aardbeving een tsunami komt. We verdrinken. Iedereen!'
Wat een misère! Sterven ze nu toch nog? Wat is dit? Zijn adem stokt. Achter zijn ogen branden tranen. Hij is de school uitgevlucht en dacht veilig te zijn op straat. Maar ook op straat is er gevaar. Waar moeten ze naartoe?
Rhodé rent met haar korte benen naast hem. Elke keer ziet hij haar witte schoenen een stap voor hem bewegen. Hij kijkt naar de grond en rent maar door. Hij weet niet waarheen, maar het kan hem niet schelen.
Plotseling grijpt Sebastian hem bij de kraag en staat stil, midden op de straat. Rhodé kijkt om en stopt ook. De mensen hollen langs

hen heen. Sonson kijkt zijn broer verbaasd aan.
Moeten ze niet rennen? De lippen van Sebastian zijn een smalle streep geworden. Hij schudt zijn hoofd. Dan steekt hij zijn hand uit naar een man die hun voorbij rent. De man grijpt de hand en staat stil.
'Monsieur! U hier? Wilt u even wachten?' zegt Sebastian.
Een grote, stevige man in een donkerblauw pak kijkt Sebastian aan. Hij ziet er belangrijk uit.
'Sebastian! Jij hier?'
'Monsieur, ik dacht dat u vlak bij de universiteit woonde? Dat is hier ver vandaan. Maar zat u ook bij de biddende groep daar?' Sebastian wijst naar de plek waar ze vandaan komen.
De man knikt, laat de hand los en zegt: 'Ja, mijn zus woont hier en ik ben vannacht ook bij haar gebleven. Ze woont alleen. Vandaar. Maar kom op joh, we moeten rennen.'
'Nee, wacht u alstublieft. Kent u die mevrouw die wat riep over de tsunami?'
'Nee, hoezo?'
'Hoe weet die mevrouw dat er een tsunami komt? Waar heeft ze dat gehoord?' vraagt Sebastian.
De man haalt zijn schouders op en krabt achter zijn oor.
'Daar zeg je me wat, laten we ons niet gek laten maken. Inderdaad, wie zegt dat dit waar is?'
Er rennen nog steeds mensen langs hen heen. Vooral vrouwen met kinderen op hun arm die niet zo hard kunnen. Sommigen komen weer terug. Mensen lopen door elkaar.
Rhodé heeft vochtige ogen en zegt: 'En als de tsunami zou komen, waar zouden we dan heen moeten rennen? We zouden dan toch sterven.' Ze knijpt in de hand van Sonson die ze nog steeds vasthoudt.
Een vrouw loopt heupwiegend voorbij en draait zich weer om. Ze roept met haar zangerig stem: 'Als ik dan moet sterven, dan maar hier.'

Sebastian slaat een arm om Sonson heen en fluistert in zijn oor: 'Dit is mijn docent ICT, op de universiteit.'
Sonson knikt. Eigenlijk snapt hij niet wat er gebeurt.
'Mensen,' roept de man, 'mensen, geen paniek. Laten we rustig blijven. Wie zegt dat er een tsunami komt? Ga allemaal rustig terug naar je eigen plek op de straat. En blijf kalm. Maak elkaar niet bang.'
De mensen houden hun pas in. Ze staan rondom de docent en luisteren stil. Er wordt wat gemompeld.
'Kom,' zegt Rhodé, 'we gaan ook terug.'
Ze draait zich om en trekt Sonson aan zijn arm mee.
'En morgen gaan wij naar Forêt-des-Pins, Sonson. Hier hebben we inderdaad niks meer te zoeken. Ik heb het met Sebastian besproken. Hij blijft hier om te kijken of hij nog kan helpen. En hij blijft nog even in de buurt van het huis. Daarna komt hij ook naar ons toe.'
Ze pakt hem bij zijn arm. Sonson rukt zich voorzichtig los.
Hij wil alleen zijn. Hij is moe. Zijn hele lichaam doet pijn. Het liefst wil hij even alles en iedereen vergeten.
'Morgen naar huis', dat is het enige wat hij nog wil denken.

Hoofdstuk 6

'Hierheen, Sonson. Dan staan we verder in de rij.' Rhodé stapt een halve meter voor hem uit. Ze loopt door de berm naar voren. Een grote groep mensen staat pratend bij elkaar. Ze lopen de groep voorbij en sluiten daarna in de rij van wachtende mensen aan. Ze wachten op een plekje in de laadbak van een truck. Er rijden geen bussen naar Forêt-des-Pins. Wel grote vrachtwagens met open laadbakken. Daar kunnen heel wat mensen in. Je zit alleen niet zo makkelijk, maar daar geeft Sonson niet om. Ze staan voor een grote, gekleurde truck. Aan de zijkant van de bak staat met grote letters: *pa présé ti frè, la vi-a pa fasil! - niet zo haasten broertje.* Ze hebben een paar uur geleden afscheid genomen van Sebastian. Toen ze buiten de stad liepen en de puinhopen minder werden, leek alles een nare boze droom. De rommel, het puin, de huilende mensen en de gewonde mensen en kinderen horen niet thuis in de rustige wereld buiten de stad. Sonson kijkt naar de nevelige bergen in de verte. Wat heeft hij de afgelopen dagen meegemaakt?
Er raast een grote truck voorbij. Hij knijpt zijn ogen dicht en draait zich een kwartslag om, om zo veel mogelijk stof te ontwijken. De rij mensen voor hen schuift redelijk door. Een moeder met drie kleine kinderen vooraan in de rij wordt door een paar mannen in de laadbak geholpen.
'We rijden tot Fonds Verrettes. Daarna stop ik en ga ik weer terug naar de stad', roept de chauffeur.
Sonson kijkt Rhodé aan. Ze haalt haar schouders op.
'Maakt niet uit. Dan zijn we in elk geval een stuk op weg', zegt ze.
De chauffeur loopt met een grote leren tas om zijn middel langs de rij mensen. De munten in zijn tas rammelen.

'Eerst betalen mensen. Dan pas klimmen!' schreeuwt de chauffeur. Hij ziet er moe uit. Zijn lichtblauwe spijkerbroek slobbert om zijn lijf. Hij heeft een vale, blauwe pet op zijn grijze kroeshaar. De grijze stoppeltjes op zijn gezicht beginnen al op een echte baard te lijken.
Rhodé grabbelt in de zak van haar korte, wijde spijkerrok.
Sebastian had geld in zijn zak gestoken toen hij op de dag van de aardbeving naar zijn werk ging. Een deel daarvan heeft hij aan Rhodé gegeven. Ze hebben precies genoeg bij zich.
'225 gourdes[6] alstublieft!' De man houdt zijn hand op voor Rhodé en kijkt ondertussen of niemand de laadbak instapt zonder te betalen.
Rhodé telt de biljetten nog een keer na en legt ze in de grote hand van de chauffeur. Razendsnel laat hij de biljetten door zijn hand glijden. Hij telt ze hardop.
'Klopt als een bus', zegt hij, en hij geeft Sonson een duwtje in de richting van de vrachtwagen.
Sonson pakt de zijkant van de wagen vast en hijst zich vlug omhoog. Daarna pakt hij de plastic tas van Rhodé aan. Dan houdt hij zijn hand op en trekt Rhodé omhoog. Ze is kleiner dan Sonson, daardoor moet ze meer moeite doen om boven te komen.
In de bak is het vol. Tassen, koffertjes en daartussen kinderen en vrouwen strak tegen elkaar aan. De meeste mannen blijven staan. Dat scheelt ruimte. Ondanks de grote hoeveelheid mensen is het bijna stil in de laadbak. De mensen staren verdrietig voor zich uit. Sonson hoort gesnik. Een vrouw zit in de hoek van de laadbak te huilen. Mensen praten zachtjes met elkaar. Na een poosje gaat de achterklep van de laadbak dicht. De chauffeur stapt in zijn cabine en start de motor.
Ze rijden, steeds verder van Port-au-Prince vandaan.
De truck rijdt niet snel. In de weg zitten gaten en hobbels. De vrouw naast Rhodé vraagt zacht aan haar waar ze was toen de aarde

[6] Ongeveer 5 euro.

begon te schudden. Rhodé vertelt haar verhaal. Sonson sluit zijn ogen. Hij hoopt dat niemand hem wat gaat vragen. Hij denkt aan Carlos. En aan het meisje dat waarschijnlijk onder het dak van de school ligt. Zijn wangen worden weer nat.
In de verte hoort hij de vrouw vertellen hoe ze haar dochtertje onder een golfplaten dak vandaan kon trekken. Met zijn hoofd leunt hij op de zijkant van de laadbak. Zijn hele lijf schudt bij elke hobbel mee. Zijn ogen voelen zwaar. Hij laat zijn hoofd op de schouder van Rhodé vallen. De wagen rijdt verder.
Sonson slaapt een poosje en wordt dan weer wakker van stemmen. Mensen vertellen elkaar hoe de momenten van de aardbeving voelden. Hij hoort veel verhalen die op elkaar lijken. Iedereen was bang en dacht dat Jezus terug zou komen. De zon schijnt fel op de open laadbak. Hij is blij dat Rhodé schoon water bij zich heeft. Zijn lichaam wordt stijf van het zitten in dezelfde houding en het hobbelen.
De wagen staat stil. Hij hoort de deur van de cabine slaan. Gelukkig, ze zijn er.
'Uitstappen maar', zegt de chauffeur. Hij gooit de achterklep met een harde zwaai open.
'We hebben netjes door kunnen rijden. Het is vier uur, we hebben dus zeven uur gereden. Goede reis verder.' Hij steekt zijn hand uit naar een vrouw die uit de bak probeert te komen. Sonson springt zelf uit de bak en pakt de tas van Rhodé aan. Rhodé komt naast hem op de zandweg neer.
'Vier uur. Als we stevig doorlopen, komen we om acht uur in Forêt-des-Pins aan. Doen? Of ben je te moe? Dan zoeken we hier een plekje. Ik ken hier misschien wel iemand bij wie we kunnen slapen.' Rhodé kijkt hem vragend aan.
Vier uur lopen? Sonson denkt na. Hij weet eigenlijk niet of hij moe is. Hij voelt niks meer. Zijn hoofd tolt. Hij heeft het snikheet. Zijn shirt is nat doorweekt. Zijn benen zijn stijf van de lange rit.
Hij wrijft over zijn buik. Rhodé houdt hem de waterfles voor. Hij

neemt een grote slok en spoelt het water een paar keer door zijn mond.
'Heb je nog biscuits? Ik heb honger', zegt hij.
Rhodé grabbelt in haar tas en haalt er een half aangebroken pak uit. De biscuits zijn taai, maar het is tenminste iets.
'Nou, wat doen we?' vraagt Rhodé.
'We gaan lopen. Ik heb deze reis wel vaker gemaakt, dus ik weet prima de weg. En anders moeten we vannacht weer ergens anders slapen. Papa en mama zullen ook wel benieuwd zijn hoe het met ons is.' Terwijl hij praat, draait hij de dop van de fles dicht. Nu hij uit de nare stad is, voelt hij zich beter. Ook wel stoer om door te lopen en vanavond al thuis te zijn.
'Oké, dan lopen we flink door. Dan zijn we aan het begin van de avond thuis', zegt Rhodé. Ze trekt de fles uit de hand van Sonson en stopt hem in de plastic tas. Sonson grist snel zijn rode pet uit de tas en zet hem op.
'Deze kant op. Als we langs de grote weg blijven lopen, pakken we de snelste route', zegt ze.
'Klopt,' antwoordt Sonson, 'ik heb deze route een keer met Sebastian gelopen. Het is goed te doen hoor.'
Een poos lopen ze zwijgend naast elkaar. De zon wordt steeds minder fel. De weg naar Forêt-des-Pins loopt naar boven. Echt klimmen dus. Maar straks genieten. Want Forêt-des-Pins ligt tussen de bergen en daarom is het er altijd lekker koel. Sonson verlangt er al naar. Het zweet drupt langs zijn rug. Hij heeft de weg vaak genoeg gelopen, maar het klimmen lijkt nu zwaarder.
Het is stil. Een eind voor hen loopt een groep mensen. Er rijden geen auto's voorbij. Jammer, anders hadden ze kunnen liften. Ze komen bij een zijsprong van de rivier Fonds Verrettes. Sonson staat even stil en kijkt om zich heen. Als je hier loopt, kun je niet geloven dat het in Port-au-Prince een puinhoop is. De stilte hier doet bijna pijn aan je oren. De geasfalteerde weg verandert in een kiezelweg. Soms worden zijn schoenen nat van het water dat over

de weg stroomt. Rhodé houdt ook geen droge voeten.
De zon zakt langzaam achter de bergen. Het geluid van de tsjirpende krekels maakt Sonson rustig. Er scheert een grote vogel voorbij die een krassend geluid maakt. Hij kijkt naar de strakblauwe lucht die rozig kleurt door de ondergaande zon. Dit is de weg naar huis!
Aan de andere kant van de weg komen vier mannen, twee vrouwen en een paar kinderen hun tegemoet lopen.
Als ze dichterbij zijn, vraagt de man die een stok in zijn hand heeft: 'Komen jullie uit Port-au-Prince?' Hij heeft een grote, bruine broek aan, sandalen aan zijn voeten en een strohoed op.
Rhodé knikt. Ze ziet er moe uit. Met haar handen wrijft ze langs haar rug.
'Foute boel daar, hè? Wat is er precies aan de hand?'
Het is even stil. Sonson kijkt naar Rhodé, maar die zegt niks.
'Er was een grote aardbeving', zegt hij dan. 'Veel doden. Huizen en gebouwen kapot. Ook het paleis van president Préval is beschadigd. Vanmorgen waren we nog in de stad, maar je voelt nog steeds naschokken. Alle mensen slapen op straat. Mijn vriend Carlos leeft ook niet meer.' Sonson vertelt het verhaal zo kort mogelijk, zonder tranen, met een vlakke stem.
De man schudt zijn hoofd. 'Jullie hebben dus geluk gehad. Goeie reis verder. Bon Dye beni ou - Gods zegen.'
Sonson recht zijn rug en zet samen met Rhodé de pas er weer in. Tegen die man kon hij gewoon zijn verhaal vertellen. Alsof hij een spannende gebeurtenis aan zijn vrienden vertelde. De afgelopen dagen in de stad had hij geen zin om te praten bij al die ellende. Eigenlijk niks voor hem. Meestal heeft hij wel wat te vertellen ...
Hij kijkt rechts opzij naar Rhodé. Bij haar lijkt het wel de omgekeerde wereld. Zij regelde in de stad alles en sprak veel met mensen. Ze loopt stil naast hem, snift af en toe, wrijft met een klein handdoekje over haar ogen. Alsof alles nu pas goed tot haar doordringt.

De weg wordt gelukkig weer wat vlakker. Toch gaat Rhodé steeds langzamer lopen. Sonson kijkt naar links en ziet in de verte de huizen en fabrieken van de Dominicaanse Republiek liggen. Zouden ze daar wat van de aardbeving gevoeld hebben?
Het wordt schemerig. Het geluid van de krekels wordt indringender. Sonson slaat een muskiet van zijn been. Zo tegen het schemerdonker kunnen die lelijk steken. Hij doet zijn pet af en klemt hem tussen zijn tanden. Met zijn handen wrijft hij door zijn kroeshaar dat vochtig aanvoelt. Dan zet hij hem weer op.
'Kom maar hier, ik pak de tas wel. Het lijkt wel alsof ik niet meer moe ben. Ik voel niks meer in mijn benen. Ze lopen vanzelf.' Hij kijkt naar Rhodé die eindelijk even een rij witte tanden laat zien en een beetje lacht.
'Nou, dan wil ik wel jouw benen lenen, want ik voel elk plekje in mijn lijf', zucht ze.
'Moet je kijken Rhodé, we zijn al bijna bij de markt! Ik zie de kramen al staan.' Sonson snuift de boslucht op. Vochtige lucht, die heerlijk ruikt naar bomen en grond. Echt thuis.
'Nog even en dan kunnen we ons weggetje oplopen. Wat zullen papa en mama zeggen als ze ons zien?' Terwijl hij dit zegt, schopt hij een grote steen voor zijn voeten een eind weg. Hij kan het niet geloven, maar ze zijn er bijna. De stille stukken in het donker leken eindeloos.
Rhodé zegt niks en loopt stug door.
'We zijn er bijna!' roept Sonson. 'Heb je het wel door?'
Rhodé slaat haar arm om de schouder van Sonson.
'Ja, we zijn er bijna', zucht ze.
De markt ligt er verlaten bij. De grote houten kramen staan leeg op de grote, open marktplaats. Ze wachten op de zaterdag, dan worden ze gevuld met koopwaar. Alles ziet er vertrouwd uit. Sonson voelt zijn lijf tintelen. Thuis! Hij is bijna weer thuis! Na alle ellendige dagen. Hier droomde hij een paar dagen geleden van. Nu loopt hij hier.

Rhodé slaat het kronkelige paadje in dat vanaf de marktplaats naar boven loopt, de heuvel op waar hun huis staat. Als je voor hun huis staat, kijk je prachtig over Forêt-des-Pins heen. Op de achtergrond zie je de bergen en de bomen. Nog even klimmen. Hij kan dit paadje wel dromen. Hij stapt op die nare boomwortel, waar hij al zo vaak over gestruikeld is. Het vochtige gras maakt zijn joggingbroek nat. Nog een paar meter, dan is hij er. Rhodé trekt zich aan een tak van de grote perzikboom voor hun huis op, voor de laatste stap naar boven. Dan staan ze op de voorplaats van hun huis.
Moeder zit voor het huis op een banc[7]. Ze heeft hen nog niet gezien en staart voor zich uit met twee armen gesteund op haar knieën en haar handen onder haar kin. Zoals mama altijd 's avonds na het eten even buiten zit. De schemer van de lamp onder de veranda verlicht haar gezicht.
'Mama!' Sonson rent op haar af. Moeder wil opstaan maar hij pakt haar handen beet en trekt haar overeind. Ze omhelst hem stevig. Hij zit klem en kan geen kant meer op.
Dan voelt Sonson een ruwe hand langs zijn oorschelp glijden. Papa!
'Sonson, Rhodé', zegt de schorre stem van vader boven zijn hoofd. 'Wat hebben we over jullie ingezeten. Elke dag liepen we naar het dorp of er nieuws was uit Port-au-Prince. Maar jullie zijn er!'
Moeder maakt zich plotseling los uit de omhelzingen. 'Waar is Sebastian?' vraagt ze. Haar stem schiet uit als ze de naam van Sebastian noemt.
'Hij leeft. Nee, niet bang zijn. Hij is in de stad,' zegt Rhodé, 'maar hij wil eerst nog daar helpen. Dan komt hij ook naar ons toe!'
Moeder loopt weer naar Sonson toe die voor de veranda staat met vader, die zijn grote arm om hem heen heeft geslagen. Dan trekt moeder hem weer tegen haar borst aan. 'Sonson, vertel eens.'
Hij wil niet huilen, maar als hij diep inademt en de vertrouwde

7 Klein houten bankje laag bij de grond waar de Haïtianen vaak buiten op zitten.

geur van zijn moeder ruikt, barsten alle tranen die nog in zijn hoofd vastzaten, los. Ze stromen over zijn wangen. Zijn lichaam schokt. Zijn hoofd bonkt. Hij hikt een paar keer en huilt dan weer met grote uithalen. Zo hard heeft hij na de aardbeving nog geen een keer gehuild.
'Carlos, mam, Carlos is dood. Hij leeft niet meer. Het dak van de school is op hem gekomen. En ik liep uit school en stapte met mijn voeten op een meisje dat voor me struikelde en op de grond terechtkwam. En ...'
Moeder wiegt Sonson zacht heen en weer en kust hem een paar keer op zijn zwarte kroeshaar.
'Huil maar en vertel maar. Vertel alles, Sonson.' Ze trekt hem langzaam mee, het stenen trapje op naar de veranda, waar een hoge bank staat. Daar gaan ze op zitten. Sonson leunt op haar schouder en snikt na. Zijn hoofd bonkt minder. Hij streelt met zijn vingertoppen over de rok van moeder. Hij is thuis bij vader en moeder!

Deel 2

De ontmoeting

Forêt-des-Pins

Hoofdstuk 7

Yes, zaterdag! Vandaag gaat hij na een lange tijd voor het eerst weer naar de markt. Sonson heeft er zin in. Hij strekt zich uit in het bed dat hij met Sebastian en Denis deelt.
'Vannacht gelukkig geen gegil van jou', zegt Denis. Sonson schopt het laken van zich af en gooit het over Denis heen. Dan maakt hij een grote duikel over hem heen en belandt aan de zijkant van het bed. Denis trapt net het laken weg en schopt hem per ongeluk in zijn maag.
Au, dat doet lelijk zeer. Maar ja, eigen schuld.
Hij droomt gelukkig niet meer over die nare momenten in de schoolhal. De eerste weken thuis werd hij vaak gillend wakker. Hij baalt ervan dat hij de anderen met zijn geschreeuw ook wakker maakte. Zij hoeven niet te weten dat hij nog heel vaak aan de aardbeving denkt. En aan dat meisje op wie hij stond met zijn grote voeten. Sebastian heeft nergens last van. Die gilt tenminste niet in zijn dromen.
Sonson springt uit bed en knielt neer om God te danken voor de dag. Dan schiet hij zijn trainingsbroek aan en loopt naar buiten. De grote slippers van vader staan bij het stenen trapje voor de veranda. Hij schuift zijn voeten erin. Ze zijn veel te groot, maar je moet wat in deze modder. Het heeft vannacht behoorlijk geplensd. Dat kun je verwachten in de regentijd. Hij glibbert naar de waterput achter het huis onder de bananenboom. Een verrotte mango die voor zijn voeten ligt, gooit hij een eind verder het erf op. De kippen springen kakelend aan de kant. De haan protesteert kraaiend.
Zo, de rest van de familie is nu ook wel wakker. Sonson grinnikt.

Ah, hij heeft geluk. De teil naast de waterput is nog vol. Als hij niet te veel gebruikt, hoeft hij vandaag geen nieuw water naar boven te halen. Hij hurkt bij de teil en gutst water over zijn gezicht en over zijn haren. Zo veel mogelijk boven de teil blijven, zodat hij geen water verliest. Lekker, dat koude water.
'Je bent er vroeg bij, vriend.' Vader bukt zich voorover en vult de beker naast de teil met water. Hij klokt het water in een keer achterover. Hij knoeit wat water op zijn wollen trui. Een paar druppels blijven op zijn grote, groene, plastic regenlaarzen liggen.
'Kleed je maar snel aan, dan gaan we!'
Sonson pakt met een sprong de handdoek van de hoog gespannen waslijn af en droogt zijn gezicht.
'Ja, nog even mijn trui aantrekken en dan ben ik klaar. Gaat Denis ook mee?' vraagt hij.
Vader schudt zijn hoofd. 'Nee, niks ervan. Vandaag niet. Ik weet precies hoe dat gaat, jij samen met Denis op de markt. Er moet vandaag geld verdiend worden. Geen tijd voor grappen.'
Sonson steekt zijn tong schuin uit zijn mond en trekt een gek gezicht. Vader kan zijn lachen bijna niet inhouden en draait zich snel om.
'Hup, tempo maken jij, dan vertrekken we', roept vader.
Zo, die is vrolijk! Sonson glibbert zo snel hij kan naar het huis. Die grote slippers zijn waardeloos. Op de stoel in de hoek van de slaapkamer trekt hij zijn zwarte shirt tussen de stapel kleren uit. Hij schuift het onderste laatje van het ladekastje te hard open. Het ploft op de grond. Snel terugduwen. Sokken aan. Wacht, het was koud buiten, dus warme kleren aan. Met een sprong staat hij op het bed en pakt zijn rode sweater met blauwe capuchon van de plank. Een stapel truien valt op de grond. Laat maar liggen, dat ruimt hij vanmiddag wel op. Als hij de trui aantrekt, blijft de capuchon op zijn hoofd steken. Lekker warm.
Op de tafel in de woonkamer ligt een grote tros bananen. Hij trekt hard aan een banaan. De ene helft van de schil blijft aan de tros

hangen. Sonson trekt ook de andere helft van de schil van de banaan af en gooit deze op tafel.
Met het laatste stuk van de banaan in zijn mond doet hij op de veranda de veters van zijn sportschoenen dicht.
Vader heeft Cully, de ezel, volgeladen met de zakken zoete aardappels.
'Wat moet er nog gebeuren?' vraagt Sonson.
'Niks, ga zitten, dan vertrekken we.' Vader klopt op het zadel van Cully.
Dan loopt hij de veranda op en brult naar binnen: 'We gaan ervandoor! Tot vanmiddag.'
Sonson daalt op de rug van Cully het pad voor het huis af. Naar de markt! Het beest kent de weg.
Vader loopt achter Cully en geeft haar een klap op de rug, zodat ze harder gaat.
Onder aan de heuvel, op de weg richting de markt, is het druk. Mensen sjouwen met grote pakken op hun hoofd. Ezels, paarden en muildieren zijn hoog bepakt met grote, plastic zakken vol koopwaar. Onwillige koeien worden loeiend meegetrokken voor de slacht op de markt. Sonson tikt met de zool van zijn schoenen in de buik van Cully.
Ze gaat harder lopen. Ze komen in een dichtbegroeid stuk. Daar zie je niks meer van de drukke weg. Sonson doet hard zijn best om de zwiepende takken uit zijn gezicht te houden.
Hij heeft zin in de markt. Dat mist hij altijd in Port-au-Prince. De markt daar is saai, zonder beesten en slachtafdeling. En nu zal er wel helemaal geen markt zijn in Port-au-Prince. Zouden er nog steeds zo veel dode lichamen op de weg liggen?
Het pad wordt smaller, maar Cully hobbelt vrolijk door. Af en toe balkt ze.
'Wat dacht je ervan om vandaag Sapibon[8] te verkopen? Vorige

[8] Zakjes bevroren limonadesiroop in verschillende kleuren, soort waterijs

week heeft Denis ook goeie zaken gedaan bij een handelaar die je goed betaalt.‘
‘Het is toch regentijd? Ik dacht dat Sapibon dan niet zo goed liep. Het is veel te koud om ijsjes te eten.’
Hij heeft er meer zin in om over de markt te lopen en grappen uit te halen met de andere jongens van het dorp.
‘We kijken wel even of we dezelfde handelaar weer zien.’ Vader geeft een harde klets op de rug van Cully. Ze komen op een open stuk. Een waterig zonnetje schijnt door de wolken. Nog een paar stappen naar beneden en dan zijn ze op de harde zandweg. Ze slaan rechtsaf, richting de markt.
De lange weg naar het dorp geeft Sonson altijd een speciaal gevoel. Alsof hij in een andere wereld is.
Aan beide kanten van de weg is naaldboombos. Als je diep inademt, voel je de zware lucht in je longen gaan. Na een nacht regen ruik je alles nog beter.

‘Bonjour, Bam lamen? - alles goed?’ Alain passeert hen met een stel hard mekkerende, bruine geiten aan een touw. Hij geeft vader een hand.
‘Papimal - het gaat goed. Ga je ze verkopen?’ Vader wijst naar de tegenstribbelende geiten die voelen dat hun einde nadert. Hij pakt ondertussen het loshangende touw bij de kop van Cully vast.
Sonson kijkt schuin naar Alain die voor hem loopt met vader. Hij krijgt altijd een apart gevoel als hij Alain ziet. Het is een oudere man die er gewoon uitziet, maar toch iets bijzonders om zich heen heeft hangen. Hij is de voodoopriester van de omgeving en staat in contact met de voodoogeesten[9]. Hij draagt altijd een rode zakdoek in zijn zak. Sonson ziet nu ook weer een rode punt uit zijn achterzak komen.
Vader praat altijd aardig en vrolijk met hem. Alsof het een gewone

9 Achter in het boek staat meer informatie over het voodoogeloof.

man is. Hij zegt ook rustig dat je je niet bezig moet houden met de geesten en dat Jezus machtiger is dan de geesten. Sonson is trots op zijn vader, dat hij dat zomaar durft te zeggen tegen zo'n belangrijk iemand!
'Ja, ik wil goed geld gaan beuren voor die beesten. Ze zien er toch prima uit, zou je zeggen. En de zon gaat vandaag schijnen, dus dat moet lukken.' Hij geeft weer een harde ruk aan het touw, wat een oorverdovend gemekker oplevert.
'Zo, heb je weer een andere zoon meegenomen?' vraagt Alain. Hij wijst met zijn hoofd naar hem. 'Die heb ik nog niet eerder gezien!'
'Klopt. Hij zit in Port-au-Prince op school dus meestal is hij hier niet. Maar hij is alweer een paar weken bij ons, na de catastrofe daar.'
'Ja, dat is wat daar. Ongelooflijk. Als je alle verhalen hoort, kun je niet geloven dat het waar is. Dit is zo groot. Dat ligt zelfs buiten de macht van de voodoogeesten. Ik heb pas nog een bijeenkomst gehad met de andere priesters. Maar iedereen is het eens: dit moet wel Bondye – de Goede God, geweest zijn. Wat denk jij daarvan, man?'
Vader kijkt naar Alain. Sonson ziet een grote, dikke rimpel op het voorhoofd van vader. Zijn rug is gebogen en met het touw over zijn schouder trekt hij Cully vooruit.
'Ik ben blij dat mijn kinderen nog leven. En ik hoor dat de kerken groeien in en om de stad. En je weet hoe ik erover denk, Alain. Ik geloof dat God aan de mensen die in Haïti leven nog tijd geeft om Hem te leren kennen.'
Ze staan even stil. Alain geeft met zijn vrije hand een harde klap op de schouder van vader.
'Ja joh, je bent niet verrassend. Toch mag ik je, want ik weet wat ik aan je heb. Ik ga hier linksaf. Ik ben al veel te laat, dus ik ga verder. Succes vandaag.'
'Ja, jij ook succes met je geitenhandel. En two prese pa rive - doe het rustig aan. '

'Wacht even Sonson', zegt vader. Hij trekt de dikke wollen trui over zijn hoofd.
'Met die zon is het mij te warm met een trui.' Hij gooit de trui op de rug van Cully en geeft een ruk aan het touw. Cully gaat er op een draf vandoor. Sonson ploft met zijn buik naar voren en grijpt haar bij de manen vast.
Vader moet hard zijn best doen om hun voor te blijven. Zijn strohoed wipt naar links.
'Hop, hop, hop, kom op jongen! Bourik chaje pa kanpe - een beladen ezel staat niet stil.'
Echt papa. Als die eenmaal met spreekwoorden begint, is hij niet meer stoppen.
Sonson vindt het wel leuk. Hij weet zo al veel spreekwoorden die soms goed van pas komen. Juf Vena staat soms versteld als zij een vraag stelt en hij een spreekwoord als antwoord geeft.
Het geschreeuw van de marktkooplui wordt harder. 'Koop hier de beste perziken uit de omgeving. Goedkoop, lekker en goed!' schreeuwt een zware, donkere stem.
'Zeep, heerlijk ruikende zeep. Uw kleren zijn in een uur schoon. Hagelwit!' roept een schelle vrouwenstem erdoorheen. Sonson geniet van al die vrolijke stemmen. Op de markt zie je meestal blije mensen.
'We gaan naar links, Sonson.' Vader geeft een zwaai aan het touw. Cully steekt de weg over en draaft het schuin oplopende bospad op. Onder de bomen staat het vol met ezels, muildieren en paarden die geduldig op hun baas wachten. Mensen lopen met grote pakken af en aan. Als je chagrijnig uit je bed gestapt bent, moet je hier wel vrolijk worden.
Sonson barst van de energie en popelt om de markt over te lopen.
'Zoek maar een boom op waar je Cully aan kunt vastzetten. Ik zoek een plek uit voor onze aardappelen.'
Vader gooit het touw naar achteren en loopt een halve cirkel om hen heen.

Sonson trekt aan de teugels. Cully staat met een ruk stil.
'Bravo!' Hij klapt Cully op de hals en springt van haar rug. Pa beent er met twee grote zakken zoete aardappels vandoor. Die heeft er zin in vandaag!
Sonson pakt het touw, zoekt een boom en bindt Cully naast twee andere ezels vast.
Hij hijst uit de linkerdraagzak een grote zak zoete aardappels. Pff, wat is dat zwaar. Vader draagt die zakken alsof het kippenveren zijn.
'Kom maar hier, pak jij de kleinste buidel uit de andere draagzak maar. Ik sta even verderop links. Een prachtig plekje, net voor alle anderen.' Weg is hij, met de volgende twee zakken.
Sonson sleurt de kleinere zak zoete aardappels uit de draagzak. Dat is ook al een aardig gewicht. Hij gooit hem over zijn schouder en gaat op een drafje achter vader aan.
'Zet hier maar neer.'
Onder een grote, dikke boom, op de hoek waar de markt begint, heeft vader de vier witte, plastic zakken in een ruim vierkant neergezet. Sonson zet zijn kleine zakje in het midden.
'Wacht jij maar hier, ik ga de laatste paar zakken halen.'
Sonson kijkt zijn vader na. Het overhemd is op zijn rug nat van het zweet. Hij steekt zijn handen in zijn zakken en fluit een deuntje. Het is lang geleden dat hij zich zo blij heeft gevoeld. Straks eens kijken of hij bekenden tegenkomt.

Hoofdstuk 8

Sonson kijkt in het rond. Lange rijen met hopen zoete aardappels, rijst, witte bonen en bruine bonen op wit plastic. Dit bospad is de hoogste plek van de markt. Als hij naar beneden kijkt, ziet hij eerst de weg waar een rij bussen staat te wachten. Mensen met of zonder trekdieren lopen af en aan met koopwaar. Aan de andere kant van de weg is de koeienmarkt en de markt met tweedehands kleding.

'Hé, help me even de zoete aardappels uit de zak te halen. Dan mag je een rondje over de markt maken. Maar binnen het uur weer terug zijn. Als ik de handelaar in Sapibon tegenkom, zeg ik dat jij een kar voor je rekening wilt nemen.'

Sonson schrikt op. Vader prutst met zijn dikke vingers aan een touw.

'Kom maar, dat ik doe wel even.' Sonson trekt met zijn smalle vingers aan de knoop en heeft in een mum van tijd de zak los.

Vader pakt de zak en strooit voorzichtig de zoete aardappels op het plastic. Ze rollen op een hoop. Met zijn grote vingers graait hij nog een keer door de zoete aardappels heen, zodat ze er mooi bij liggen. Sonson peutert de volgende zakken los, en sleept ze voor vaders voeten.

'Bonjou! Heb je weer een werker bij je? Als hij net zo goed is als die van vorige week teken ik weer.' Een lange, magere man grijpt vaders handen vast.

Vaders ogen lichten op. 'Ha, ja, ik heb er weer een bij me. Sonson is een jaar ouder dan de vorige werker. Met dertien jaar kun je harder lopen', lacht vader vrolijk.

De man kijkt Sonson aan. Hij reikt hem de hand.

'Nou, kom dan maar mee. Ik heb een prachtige ijskar klaarstaan.'
Vader knikt: 'Ga maar. Dan loop je het eerste rondje maar meteen met de Sapibon.'
Hij vindt het eigenlijk wel prima. Je kunt met de ijskar overal tussendoor. Als je maar hard genoeg schreeuwt. Hij heeft vaker Sapibon verkocht.
Hij sjokt achter de man aan, de weg af naar beneden. Aan de andere kant van de weg staat de ijzeren, grijze ijskar te wachten. De twee grote wielen zitten onder de modder.
'Kom 'es hier,' wenkt de man, 'ga er eens achter staan. Dan kan ik kijken of die niet te hoog is voor je. Anders pak ik een andere.'
Sonsons pakt de ijzeren stang vast waarmee de kar vooruit geduwd wordt.
'Keurig, alsof die voor je gemaakt is.' De man knikt goedkeurend.
Sonson loopt nog even een rondje om de kar heen waarmee hij op pad moet. De vierkante bak waar twee wielen onder zitten, is felgroen gekleurd en in het midden zijn er twee knalgele citroenen van plastic op geplakt. Helemaal boven aan de bak loopt een witte rand van plastic. Hij klopt met de knokkels van zijn handen op de zijkant.
'Kijk, hier trek je de bak open.' De man pakt de hendel aan de bovenkant vast. De grijze, ijzeren plaat weerkaatst in Sonsons gezicht. Hij knijpt zijn ogen dicht.
'Gaat helemaal lukken, meneer. Ik heb het vorig jaar ook een paar dagen gedaan. In de vakantie.'
'Prima. Verkopen dan! Kijk even in de kar. De smaken die ik vandaag in de aanbieding heb zijn: framboos, vanille, melk en kokos. Vijf gourdes per stuk. Geen geld.'
Sonson kijkt in de kar en ziet de gekleurde waterzakjes liggen. Hij veegt met zijn vinger de waterdruppels op een zakje weg. Als je alles hebt verkocht, kun je me in deze buurt weer vinden. En als je wilt stoppen ook. Ik reken je af op het aantal ijsjes dat je verkoopt. Hier heb je de zak met wisselgeld. Doe maar om je nek, dan wordt

het niet gejat. En handjes van mijn geld af, hè. Ik heb alles nageteld, dus ik kan je controleren.'
Sonson knikt en hinkt van zijn ene been op zijn andere. Wat is die kerel langdradig. Hij weet het allemaal allang.
'U ziet me verschijnen.'
Zo, eindelijk de markt op. Met een grote duw trekt hij de kar over een hobbel uit de berm van de zandweg. Hij loopt regelrecht de mensenmassa in.
'Sapibon, Sapibon, vijf gourdes, Sapibon. De lekkerste is hier. Koel, fris en gezond. Loop niet zonder een Sapibon in je mond.' De mensen voor hem lopen naar de kant van de weg en maken plaats voor de kar.
Een tik op zijn schouder. Een moeder met twee kinderen koopt twee kokos Sapibons van hem. Hij loopt verder. De ene na de andere klant koopt ijsjes. En dat in de regentijd. Pa had toch gelijk. Goeie business!
'Hé Sonson, tijd geleden dat ik je hier op de markt zag. Hoelang ben je hier al?'
'O, al een tijdje', antwoordt hij. Dan geeft hij weer een ruk aan zijn kar. 'Sapibon, koop mijn Sapibon.' Nu even niet over de aardbeving praten. Vandaag is het zijn marktdag.
'Sapibon framboos, dat is de lekkere smaak die mijn moesje altijd koos.'
Hij krijgt een harde duw in zijn rug. Het ijzeren handvat van de ijskar komt hard tegen zijn maag aan. Kwaad draait hij zich om.
'He joh, lomperd!'
Hij kijkt in het grijnzende gezicht van een jongen met een hoofd vol lange vlechten. De kleurige kraaltjes onderaan elke vlecht dansen op en neer als hij zijn gezicht beweegt. Hij lacht gemeen. Een gouden tand schittert in zijn mond.
'Kom op met Sapibon framboos van je moesje. Lolbroek. En snel.'
Hij duwt de vijf gourdes in zijn hand. Sonson gooit de deksel van de kar open en duwt de jongen een waterijsje in zijn handen.

Aan de kant van de weg staat een meisje met haar handen op haar rug tegen de boom naar hem te kijken. Hij trekt zijn wenkbrauwen op en lacht naar haar. Verlegen lacht ze terug. Ze heeft een strohoed op en een knalblauw shirt aan. Ze is lang en slank. Onder haar hoed komt nog net de strik van haar staart vandaan. Tussen alle drukke mensen en kinderen staat ze daar zo rustig dat je wel naar haar moet kijken.
'Sapibon, voor jongens en meisjes, strohoedjes en petten. Heerlijke Sapibon voor iedereen!' roept hij, terwijl hij naar haar blijft kijken. Ze lacht hard, maar trekt snel haar hand voor haar mond en blijft tegen de boom staan. Jammer dat ze niks koopt.

Hij gaat linksaf. Even de markt af, naar de koeienslacht kijken. Daar is het een stuk rustiger en verkoop je niet veel ijsjes. Maar hij heeft wel even een pauze verdiend. Hij zet de kar aan de kant van de weg. Een oudere vrouw op een grote steen staart voor zich uit.
'Wilt u hier even op letten? Dan loop ik even daarheen.' Hij wijst naar de kant van de koeienslacht. De vrouw knikt afwezig.
Hij springt met een aanloop op de hoge berm en loopt een stukje de open bosplaats op. Tussen de bomen door lopen mensen met grote bakken vers vlees in de richting van de markt. Net van de koe. Vers van het mes. Met grote sprongen ontwijkt hij de plassen. Er wordt net een koe losgemaakt en meegetrokken naar het midden van een open plek. De eigenaar laat de koe een half rondje draaien. De slachter komt met een groot mes aanlopen. Na een snelle snee in de hals valt het beest neer. Ze ligt op haar zij. Een andere man gaat op zijn knieën bij de kop zitten. Hij maakt een gaatje in de nek en zet er een pijpje op waar hij langzaam maar regelmatig doorheen blaast. Twee vrouwen en een meisje kloppen met een grote stok op het lijf van de koe. Je ziet de koe opgeblazen worden. Net een ballon. Dit heeft Sonson al zo vaak gezien. Maar elke keer is het weer leuk. De huid van de koe komt zo los te zitten. Zo snijd je de huid straks makkelijk van het vlees los.

Er valt een druppel van de boom op zijn neus. Koud.
Hij moet weer terug naar zijn kar. De vrouw op de steen zit nog in dezelfde houding. Hij springt met een harde plof recht naast haar. Ze schrikt op. Sonson kijkt haar breed lachend aan.
'Bedankt, madame!' Hij maakt een gewichtige buiging.
Ze gaat rechtop zitten en lacht met heel haar gezicht. Ze ziet er opeens veel leuker uit.
'Geen dank!' Ze wuift met de doek in haar hand.
De kar schokt over de hobbelige zandweg. Sonson loopt stevig door. Nog een uurtje en dan is hij wel los als het weer zo goed gaat als vanmorgen.

'Kom hier met dat ding joh. Geef op.'
Sonson kijkt om. Er vliegt een hoed door de lucht. Een groep jongens, ouder dan hij, gooit het ding over. Ze hebben dikke lol. Een jongen sprint naar de strohoed die op de modderige grond ligt. Hij zwiept hem als een shuttle in de lucht. De jongen aan de overkant van de weg graait de hoed uit de lucht en kijkt spiedend rond. Dan rent hij naar het leuke meisje met het felblauwe shirt bij de boom. Hij zwaait de hoed heen en weer voor haar gezicht en maakt er gekke sprongen bij.
'Wil je hem niet terug?' Ze staart voor zich uit en leunt tegen de boom, haar ene been opgetrokken tegen de stam. Haar gezicht staat strak. Je ziet niet of ze boos is of verdrietig. De jongen holt weg en gooit het ding weer in de lucht. Het valt midden op de ijskar van Sonson.
Snel grist Sonson de hoed van de kar. Hij houdt hem stijf tegen zijn borst. De joelende jongens komen op de kar af. Sonson bruist van woede. Wat een gemene lui. Het liefst zou hij iedereen tegelijk in elkaar timmeren. Maar er komen van alle kanten jongens aangelopen.
'Hela, geef dat ding hier. Het was onze shuttle. Blijf jij er met je ijshandjes van af, joh!'

'Ja joh, geef hier dat ding.' De jongens schreeuwen door elkaar heen. Een jongen die een kop groter is dan Sonson loopt dreigend op hem af. Met zijn brede schouders en met een brede pas probeert hij indruk te maken.
Sonson slikt even. Met zijn ene hand houdt hij de hoed vast en met zijn andere hand omklemt hij de kar. Hoe kan hij zich hier uitwerken? Dit zijn wel heel veel gozers bij elkaar. Als hij geen kar had, was hij allang weggespurt. Die jongens kunnen hem vast niet bijhouden. Maar een ding staat vast: hij geeft die hoed niet terug.
Hij schraapt zijn keel en zegt dan zo stoer mogelijk: 'Die shuttle is niet van jullie. Zoek je eigen speelgoed op. Val je eigen soort lastig.'
'Hoor dat ijsjochie praten.' De grootste jongen met de grootste mond stoot zijn vriend naast hem aan en kijkt minachtend naar Sonson.
'En jij dacht dat wij dit pikten?' snuift hij verder. 'Kom op, joh.'
Hij pakt hem bij zijn shirt, tilt hem even van de grond en zet hem dan weer hard terug. Sonson klemt de hoed nog steviger in zijn hand. Wat moet hij met al die gasten om zich heen?
De jongens achter hem klepperen met de deksel van de ijsbak.
'IJsboertje met je grote mond', jouwt iemand achter hem.

'Hé broer, wat doe jij hier?' Dat is de zware stem van Sebastian. Die kent hij uit duizenden. Hij hoort hem wel, maar ziet hem niet. De jongensgroep voor hem deinst naar achteren.
'Gaan jullie eens aan de kant. We willen een ijsje', zegt Sebastian. Vergeleken bij de jongens is hij een reus. Met zijn vijf vrienden loopt hij door het pad dat voor hem gemaakt wordt.
'Wat doen die jongens bij je kar?' Sebastian kijkt dreigend in het rond.
Sonson haalt zijn schouders op. 'Rottigheid!'
'Jullie zijn hier te gast hoor. Fonds Verrettes, toch?' Sebastian kijkt naar de grootste jongen. 'Ken ik jou niet van vorige week?' De jongen wrijft zijn shirt heen en weer en hakt met zijn schoen een

kuiltje in het modderige pad. Hij zegt niks, maar kijkt Sebastian aan.
'Nou?' Sebastian kijkt de jongen recht aan. 'Had je nog meer?'
Met een ruk draait de jongen zich om en roept schor: 'Kom op jongens, wegwezen hier.'
Sebastian kijkt ze grinnikend na.
'Blufgozers. Vorige week hadden ze een ezel van twee meiden afgepakt. Die meiden gillen en zij maar jennen. Met een groep kunnen ze wel. Wat hadden ze?'
Sonson kijkt verdwaasd rond. Waar is het meisje van de hoed?
'Eh ... deze hoed hadden ze afgepakt van een meisje.'
Sebastian pakt de strohoed beet en draait hem op zijn wijsvinger in het rond.
'Welk meisje?'
'Ik ... eh ... ik weet niet waar ze is', aarzelt Sonson. Nu de jongens weg zijn, vindt hij het onhandig dat zijn broer erbij is. Hij pakt de hoed van Sebastian af en legt hem op de ijskar.
'Wacht maar. Ik regel het wel.' Hij trekt de kar een stukje naar achteren om weg te kunnen gaan.
'Niks ervan. Je moet ons eerst de Sapibons geven. Zes. Drie framboos en drie melk. Toch jongens?' Sebastian kijkt vragend rond. Zijn vrienden knikken lachend. Snel legt Sonson de hoed aan de kant, neemt het geld in ontvangst en pakt de ijsjes uit zijn kar. De jongens slenteren weg.
Sonson kijkt in de richting van de boom. Niemand te zien. Balen. Ze moet hier toch ergens in de buurt zijn. Hij draait zich om en ziet haar dan verlegen aan de kant van de weg staan. Met haar benen over elkaar, een arm over haar buik. Met haar andere arm zwaait ze zachtjes naar hem. Hij voelt een schok door zich heen gaan. Waarom vindt hij het opeens eng om naar haar toe te gaan? Hij pakt de hoed en stapt op haar af.
'Hier is je mooie hoed weer.' Zijn stem bibbert een beetje. Zou ze het merken?

Ze lacht naar hem en pakt de strohoed aan.
'Merci', zegt ze zacht. Hij draait zich om en loopt weer naar zijn ijskar.
Stom dat hij zo verlegen doet! Hij draait zich nog een keer om. Ze verdwijnt net in de mensenmassa. Zou hij haar nog een keer tegenkomen?

Hoofdstuk 9

'En de laatste mededeling: vandaag is er weer club.' Sebastian staat voor in de kerk. Hij kijkt even van zijn papier de volle kerk in. Dan gaat hij verder: 'Dit keer gaan we een gedichtenwedstrijd houden. Graag voor de kerk verzamelen.' Sebastian vouwt zijn papiertje op en gaat weer op zijn plaats zitten. Sonson zit tussen vader en de buurman in. De ijzeren bank voelt koud aan door zijn broek. Hij wurmt zich achter de brede schouders van papa en de buurman naar voren en zet zijn handen op zijn knieën. De dominee spreekt. De kerk is vol met de harde stem. Wat een geluid! Daar blijf je wel wakker van. Sonson denkt terug aan de eerste zondag na de aardbeving. De kerk zat stampvol. Er werd geen lange preek gehouden. Toen is er veel gebeden, gezongen en mensen vertelden wat ze hadden meegemaakt en hoe God hen had geholpen. Op dit moment is alles weer net als anders. Alleen straks na de dienst zal het wel weer over 12 januari gaan, met de gedichten. Hij hoopt dat je zelf een thema mag kiezen. Dan heeft hij wel een idee. Was de dienst maar afgelopen.
Er blaast een windje door de kerk. De zijdeuren zijn dicht, maar de deuren achterin staan wijd open. Het regende keihard toen hij naar de kerk kwam lopen. Sonson schopt de natte vuilniszak bij zijn voeten onder de bank. De lucht is opgeklaard. Lekker. Met mooi weer kun je lekker voor het terrein van de kerk voetballen. Misschien na de club.
De dominee zegt amen. Iedereen staat op en zingt het laatste lied. De dominee strekt zijn handen uit en zegent de gemeente. De mensen schuifelen zacht pratend naar de achterdeuren die wijd openstaan.
Sonson trekt de rits van zijn trui wat hoger op. Het regent niet

meer. Toch heeft hij het koud. Hij trekt de mouwen van zijn trui over zijn handen en doet zijn armen stijf over elkaar.
Buiten staan al veel jongeren te wachten. Eerst moet de kerk helemaal leeg zijn, dan kan de club beginnen. Sonson staart gedachteloos naar de wijd openstaande deuren.
Dan opeens strekt hij zijn nek uit. Zijn ogen worden groter. Klopt het echt wat hij ziet?
Het hart bonst hem in de keel. Hij slikt. Daar loopt ze! Het meisje met de strohoed. Ze heeft een kleurige, lange rok aan en een hagelwitte bloes. Haar gitzwarte haar draagt ze in een staart, met een rode en gele strik vastgebonden. Ze wiegt met haar heupen als ze op de stenen trap bij de deur naar beneden loopt.
Ze is het. Ze is het echt. Hij staat als aan de grond genageld. Waarom heeft hij haar niet eerder gezien? Dan had hij in de kerk al naar haar kunnen kijken.
Hij wil naar haar toe lopen. Iets in hem houdt hem tegen.
Waarom loopt hij niet gewoon naar haar toe? Bah, waarom is hij weer zo verlegen?
Hij loopt naar buiten en gaat direct op een groep bekende jongens af. Als hij midden in de groep staat, draait hij zich een kwartslag.
Ze is het. Ze is het echt.
'Kom je ook? We gaan naar binnen.' Sebastian loopt op hun groep af en duwt met zijn hand tegen de schouder van Sonson.
Hij wordt een stukje meegenomen door Sebastian, maar maakt zich dan los.
'Ja joh, wacht even!'
Hij laat haar niet zomaar gaan. Hij moet het durven. Heeft zij hem gezien? Zou ze hem herkennen? Hij doet een stap naar achteren en knippert met zijn ogen.
Opeens staat ze voor hem. Met lachende ogen kijkt ze hem aan. Ze is alleen. En hij ook. Iedereen is al naar binnen gegaan.
'Hai Chapopay – strohoedje.'
Hij schiet in de lach en zegt: 'Hoi Meisje-zonder-naam.'

Hij steekt zijn hand uit en ze legt haar smalle hand in de zijne. Zijn hele lijf tintelt. Chapopay, zo noemt zij hem. Hij grinnikt weer.
'Woon jij hier?' vraagt hij.
'Ja en nee.'
'Oké, lekker duidelijk ben je!' Hij zet grote ogen op en blijft haar aankijken.
Ze schiet in de lach.
'Wat kijk je moeilijk?' vraagt ze.
'Ja en nee. Wat is dat voor een antwoord?'
'Ja joh, dat is een heel lang verhaal. Daar is geen tijd voor. We moeten zo naar binnen.'
'Na de club dan?' vraagt hij.
Ze knikt en draait zich direct om.
'Houd ik je aan!' roept hij haar na. Met grote sprongen haalt hij haar in en rent de kerk in. Zijn hoofd voelt licht. Hij voelt zich vreemd blij. Chapopay zei ze tegen hem. Een mooiere naam kan hij niet verzinnen. Maar nu weet hij nog haar naam niet. Straks maar aan d'r vragen.

Sebastian is samen met Sam clubleider. Sebas en Sam zijn al heel lang vrienden.
'We gaan beginnen. Ik geef jullie allemaal een nummer tussen een en vijf,' zegt Sam, 'dan moeten jullie je in groepen verdelen. Je maakt als groep een gedicht. Volgende week wordt het gedicht voorgedragen. Een jury gaat beslissen wie de winnaar wordt.'
Jammer, Sonson zit in groep een. Het Meisje-zonder-naam zit in groep vijf. Sonson staat op en loopt naar zijn groep in de hoek op het podium van de kerkzaal. Hij krijgt meteen een pen en papier in handen geduwd.
'Jij kunt het beste schrijven', zegt Cecil.
'Ja, en je bent de beste dichter', zegt een meisje dat hij niet eerder op de club heeft gezien.

‘Hoe weet jij dat nou?’ Verbaasd kijkt hij haar aan.
‘Dat zeiden ze net tegen mij, toen ze hoorden dat ik bij jou in de groep zat. Dat je goed kunt dichten en dat je grappen maakt.
Sonson trekt zijn rechteroog schuin omhoog en zijn mond schuin.
Het meisje giechelt: ‘Zie je wel, ze hebben gelijk.’
Wat giechelt ze snel om zijn grappen. Daar houdt hij niet van.
‘Aan de slag. Je hebt veertig minuten de tijd en dan moet het klaar zijn.’ Sebastian loopt langs de groepen met een grote zwarte markeerstift in zijn hand. ‘Ik noteer de namen van de leden van de groep.’
Hij pakt een groot vel papier, legt het op de grond en maakt vijf kolommen. Sam ploft bij hem neer met zijn benen opgetrokken en zijn armen over zijn knieën bungelend. Hij noemt de namen van de kinderen. Sebastian schrijft.
‘Waar moet het over gaan? Serieus of om te lachen?’ schreeuwt Sonson naar de twee leiders.
Er gaat een lachsalvo op in zijn groepje.
‘Maakt niet uit’, roept Sebastian. ‘Het thema is vrij, dus doe je best. Maar zorg ervoor dat de andere groepen je niet horen. Hoe origineler het thema, hoe meer punten.’
De kinderen in de groepen kruipen dichter bij elkaar en fluisteren.
‘Laten we het over de aardbeving doen’, zegt Cecil.
‘De aardbeving? Dat is toch niet origineel? Wedden dat de anderen het daar ook over doen?’ Sonson kijkt de groep rond. ‘We moeten iets heel anders verzinnen. Bijvoorbeeld een gedicht over een paard. En dan beginnen we heel serieus. Dat het een edel dier is en groter dan een mier, of weet ik wat. En dan denkt iedereen dat het iets saais wordt, maar dan komt er halverwege een vogel aan gevlogen die met het paard een gesprek begint. Dat kunnen we leuk uitspelen. Dan moeten we volgende week twee plastic zakken meenemen. Dat zijn dan de vleugels van de vogel. We nemen een bruine deken mee, wat een paard voorstelt.’ Sonson is helemaal in vorm en heeft nu al zin in volgende week.

‘Wacht, ik loop naar de leiding en vraag of we het ook na mogen spelen. De samenspraak doen we dan in dichtvorm. Oké?’
De groepsleden knikken.
Sonson kruipt als een roofdier op zijn handen en voeten naar de leiding die aan de rand van het podium zit.
‘Prima’, zegt Sam. ‘We zien het volgende week wel.’ Sonson kruipt weer terug. Het onbekende meisje uit de groep giechelt weer. Stom, ze heeft zich niet eens aan de groep voorgesteld.
‘Geregeld. Kom op, we maken een mooi verhaal.’
‘Maar wie is dan de vogel en het paard volgende week?’ Cecil kijkt hem vragend aan.
‘Jij met haar. Hij wijst met zijn hoofd naar de giebelaar. ’
Cecil knikt tevreden. Sonson heeft een binnenpretje. Cecil vindt het zo belangrijk om voor een groep te staan. Sonson geeft er niet om. Laat ze maar lekker. Als de groep maar gaat lachen.
‘Paard-staart-kaart-maart. We schrijven even alle rijmwoorden op een vel papier. Dat is makkelijker werken’, oppert Sonson.
De hele groep werkt mee. Ze werken hard, want de tijd vliegt.
Sam klapt in zijn handen. ’Tijd om te stoppen.’
De samenspraak is op een paar zinnen na klaar.
‘Ik maak het wel af’, zegt Sonson en hij steekt het papier in zijn broekzak.
‘Volgende week, zelfde plaats, zelfde tijd hier. We zijn benieuwd naar jullie kunstwerken. Jullie mogen nu naar huis’, roept Sebastian, half liggend op de grond.
Iedereen stormt naar buiten.

‘Hé Sonson, laat mij de samenspraak nog eens even zien. Ik weet een goed woord bij de laatste zin, denk ik.’
Cecil trekt hem aan zijn mouw. Hij wilde net snel naar buiten gaan. Straks gaat het Meisje-zonder-naam weg. Hij houdt de deur in de gaten en ziet een stuk van haar kleurige rok in de wind weg wapperen. Als ze maar wacht.

Cecil kauwt op zijn pen. Een dikke rimpel verschijnt boven zijn neus. Hij schrapt weer een zin, knielt op de grond neer en schrijft. Wat een slome.
'Kom op joh, ik wil naar huis. We kijken volgende week wel.' Hij rukt het papier onder Cecils gezicht vandaan.
'Doe even rustig, joh. Ik mag de zin toch wel afmaken? Nou oké, volgende week zie ik het dan wel.'
Hij staat op en rent ervandoor.
Eindelijk staat Sonson buiten. Cecil rent achter een groep aan, de hoek om. Het terrein is verder leeg. Vanaf de stenen trap kan hij de open plaats voor de kerk goed overzien. Sebastian staat nog na te praten met Sam. Maar er is geen Meisje-zonder-naam te bekennen. Langzaam loopt hij de trap af.
Hier baalt hij van. Waarom heeft ze niet gewacht? Boos schopt hij tegen de stenen trap.
Teleurgesteld loopt hij de hoek van de kerk om.
'Chapopay!'
Daar staat ze. Weer met haar been opgetrokken tegen de muur van de kerk en haar handen op haar rug. Net zoals ze bij de boom op de markt stond, zeker haar lievelingshouding.
Ze heeft op hem gewacht!

Samen lopen ze het bospad op in de richting van zijn huis. Ze lopen verlegen naast elkaar.
'Kom, ik weet een mooie weg waar het rustig is.' Hij loopt een stap voor haar uit, het pad op naar boven. Even later staan ze op een open plaats in het bos. Boven hen is de hemel strakblauw. Met zijn handen in zijn zij kijkt hij in het rond. Waarom is hij hier niet vaker geweest de afgelopen tijd? Dit was vroeger zijn lievelingsplekje.
Hij ploft neer op de zanderige grond. De zon heeft de grond de afgelopen uren droog gemaakt.
'Het is droog hoor, je kunt zitten.'

Ze strijkt langs haar lange rok en kijkt weifelend naar de grond. Dan hurkt ze tegenover hem neer. Haar voeten in de kleurige rok verstopt.
Vreemd, hij vindt het helemaal niet meer spannend zo samen met haar.
'Hoe heet je eigenlijk, Meisje-zonder-naam?'
Ze schiet in een vrolijke lach en kijkt hem met stralende ogen aan.
'Darline', zegt ze dan.
'Darline', zegt hij haar na. Hij proeft haar naam als hij het zegt. Echt een naam die bij haar past.
'En Chapopay, hoe heet jij?'
Hij knijpt zijn ogen half dicht en lacht: 'Chapopay.'
'Flauwerd. Zeg eens.' Haar stem krijgt een diepe, lagere toon en ze kijkt strak voor zich uit naar de bergen.
'Sonson, heet ik. En ik woon daar, bij mijn vader en moeder, met twee broers en een zus.' Hij wijst naar de heuvel waar hun huis staat.
Ze knikt en kijkt hem aan. Maar haar ogen staan niet blij.
Hij zou willen vragen: En jij, waar woon jij? Maar hij durft het niet.
Het is even stil. Ze kijkt naar beneden en trekt wat grassprietjes uit de grond. Achter hen klinkt gekraak van takken. De vogels fluiten. Hij zit hier met Darline. Het meisje dat hij gisteren nog niet kende. Toch heeft hij niet het gelukkige gevoel dat hij een uur geleden had. De zon schijnt, maar het lijkt alsof er een zware bui boven hen hangt.

Hoofdstuk 10

Ze zitten een poosje bij elkaar zonder iets te zeggen. Als Sonson naar Darline kijkt, ziet hij in haar donkere ogen een brok verdriet.
Plotseling staat ze op en loopt een paar meter bij hem vandaan. Met de rug naar hem toe kijkt ze naar de grond, haar handen in de zij. Hij blijft zitten. Het liefst zou hij een arm om haar heen slaan en vragen wat er is. Maar iets in hem zegt dat hij dit niet moet doen.
Hoelang zijn ze hier al?
Darline keert zich om en gaat zitten. Tegenover hem. Haar benen zijn weer onder haar rok verstopt.
'Ik woon hier ook. Maar eigenlijk ook niet. Dat zei ik je bij de club al. Mijn vader is overleden toen ik vier was. Mijn moeder had ik nog over. We woonden samen in Port-au-Prince. We hadden het fijn samen. Maar ze leeft niet meer. Ze ligt onder het puin. Denk ik.'
Sonson luistert naar haar. Hij voelt een steek door zijn hart gaan. Ze praat met een toonloze stem. Alsof ze niks voelt. Maar als je naar haar gezicht kijkt, zie je veel verdriet. Wat moet hij zeggen?
Stel je voor, geen vrolijke pa meer die weer een spreekwoord ergens bij weet te zeggen. Geen mam meer die zo heerlijk eten kookt.
'Ik weet het niet zeker,' gaat ze verder, 'want ik heb haar lichaam nooit meer gevonden. Ze werkte in hotel Villa Therese. Misschien ken je het wel. Het is helemaal ingestort, dus ze zal er echt niet meer zijn. Ik heb lang gewacht in de buurt van het hotel en gekeken of ik haar vond tussen de lichamen. Maar ik zag haar niet. Misschien leeft ze nog en kom ik haar ooit weer tegen. Ik weet het niet. Ik hoop het, maar geloof het niet.'

‘En hoe ben je hier dan terechtgekomen?’ vraagt hij.
‘Ja, dat is een heel verhaal. Pastor Eris, van mijn kerk, heeft de eerste dagen door de stad gelopen. Hij zocht kinderen van de kerk van wie hij wist dat ze misschien alleen zouden zijn.‘
‘Eris? Heet hij zo? Hoe ziet jouw kerk eruit? Ken jij een jongen die Mano heet?’
Darline kijkt hem aan en glimlacht. ‘Waar wil je eerst antwoord op? Je stelt vier vragen tegelijk!’
Gelukkig, ze lacht tenminste weer.
‘Ken je Mano?’ vraagt hij opnieuw. Hij is mijn schoolvriend. Ik speel alleen op school met hem. Thuis had ik andere vrienden.’
Zal hij straks nog over Carlos vertellen? Eerst wil hij naar haar verhaal luisteren.
‘Ja, ik ken een Mano. Hij zit bij mij op club. Hij zat op de Caroline school, klopt dat?’
Sonson knikt: ‘Ja, dat is mijn school. Hij was bij me tijdens de aardbeving. Was jij de eerste nacht dan ook bij jouw kerk?’
Darline schudt haar hoofd: ‘Nee, ik zit op de morgenschool. Ik speelde buiten op straat. Daarna ben ik met de buurvrouw naar hotel Therese gegaan. Omdat ik mijn moeder weer wilde vinden. De buurvrouw woont alleen en is een vriendin van mijn moeder. Ze wilde ook weten waar mijn moeder was. Twee nachten zijn we daar gebleven. Maar ze vonden haar niet. Toen kwam Eris langs. Iedereen kent Eris in de kerk. Hij heeft zelf geen kinderen, maar zorgt altijd voor alle mensen en kinderen die het moeilijk hebben. Zeker tijdens de aardbeving was hij geweldig! Hij dacht al dat ik bij het hotel zou zijn. Hij heeft me in zijn auto meegenomen naar Forêt-des-Pins. Hij komt hier niet vandaan, maar kent de koster goed. De broer van de koster is een vriend van Eris. Ik woon bij de koster van de kerk in huis. Het zijn heel lieve mensen. Ze hebben grote kinderen. Ik vind het mooi hier. Maar ik mis mijn moeder. Ik wil haar weer terug.’ Haar ogen zijn vochtig als ze dit zegt.
Sonson is even stil. ‘Ja, ik snap het. Ook omdat jij geen vader hebt.

Leven andere familieleden ook niet meer?' vraagt hij zacht.
'Nee, niemand. Mijn oma's en opa's zijn gestorven. Mijn vader en moeder waren enig kind. Ik was ook enig kind. Pastor Eris zorgde goed voor ons. Mijn moeder was altijd blij met Eris. En ook met zijn vrouw. Eris komt direct naar me toe als hij mijn moeder heeft gevonden.'
Ze praat nog steeds alsof haar moeder elk moment weer terug kan komen. Maar als Sonson het zo hoort, leeft haar moeder niet meer. Hij hoopt dat het niet waar is wat hij denkt.
'Wat erg voor je. Ik weet niet zo goed wat ik moet zeggen, want ik heb mijn vader en moeder nog, maar ook twee broers en een lieve zus. Dat voelt niet eerlijk.'
Darline zegt niks, maar roert met een takje in het zand. 'Eris heeft beloofd te blijven zoeken naar mijn moeder. Maar ik heb al een paar weken niets meer gehoord. Dat is lang, maar het kan wel. Misschien is ze wel de stad uit gevlucht en komt ze nog een keer terug.'
Als Darline dat zegt, krijgt Sonson pijn in zijn buik. Het liefst zou hij zeggen: 'Geloof toch niet in die fantasie.' Maar dit zegt hij niet. Hij vindt het zielig voor haar.
'Waar was jij eigenlijk toen de aarde beefde?' vraagt ze.
Gek, als een ander dit vraagt, vindt hij het irritant of praat hij er snel overheen. Maar hij wil het aan haar graag vertellen.
'Ik was op school, want ik zit op de middagschool. Mano zat naast me. Ik dacht eerst dat ik een grote vrachtwagen voorbij hoorde denderen. Maar het was een aardbeving. Dat had ik eerst niet door. Maar toen ging iedereen rennen. Ik ook. Mano kwam achter me aan.'
Sonson vertelt aan een stuk door. Ook hoe hij zich voelde toen hij boven op het meisje stond dat voor hem struikelde.
Darline luistert. 'Denk je nog weleens aan het meisje? Denk je dat ze nog leeft?'
'Ja, ik denk nog veel aan haar. Ik heb heel lang nare dromen

gehad. Ook over het meisje. Ik denk dat ze gestorven is. Het lokaal en de hal waar ik in stond, is helemaal ingestort. Ik ben er echt net op tijd uit gekomen.'

Sonson voelt zich heel veilig bij Darline als hij zo met haar praat. Ze luistert en stelt geen irritante vragen. Er zijn ook meiden die zo snel gaan giechelen of net doen alsof hij de leukste jongen van de wereld is. Darline doet tenminste normaal. Niet zo aanstellerig. Met Darline gaat praten vanzelf.

'Ik voelde me die twee nachten bij het hotel zo alleen', zegt ze zacht. 'Ik was bang. Ook al was de buurvrouw bij me. Als ik naschokken voelde, miste ik mijn moeder nog erger. En elke keer als de reddingswerkers met iemand uit het puin naar de straat liepen, keek ik toch weer of het mijn moeder was. Dan wist ik tenminste of ze echt niet meer zou leven. Ik blijf hopen.'

'En ... als je diep in je hart kijkt?' Sonson durft het nu te vragen.

Ze bijt op haar lip . 'Dan geloof ik het niet meer', zegt ze hees.

De lucht wordt donker. Zou het gaan regenen? Sonson kijkt naar de zon, die langzaam achter de heuvels verdwijnt. Hij heeft geen horloge bij zich, maar het moet al laat zijn.

Eigenlijk wil hij hier niet weg. Maar zijn moeder weet niet waar hij blijft.

'Ik ga, Chapopay. Het is volgens mij al laat. En tante Maria wil weten waar ik blijf. Ze is niet streng hoor, maar anders wordt ze ongerust.' Darline staat op en slaat het zand en stof van haar kleurige rok. Sonson krabbelt overeind.

'Ja, ik loop even met je mee. Het huis van de koster en tante Maria is vlak bij ons huis.'

Samen lopen ze het zijpad op en komen weer op het bospad. Bij de splitsing moet Sonson eigenlijk het pad omhoog lopen, maar hij daalt met Darline het pad af.

'Kijk, als je hier naar boven loopt, is het eerste huis aan je linkerkant mijn huis. Dan weet je waar ik woon', zegt hij.

'Ja, handig', antwoordt ze.

Wat zou ze daarmee bedoelen? Hoe zorgt hij ervoor dat hij haar weerziet? Wat loopt ze hard.
'Kijk, dat is het huis waar ik woon. Ik loop het laatste stuk wel alleen. Tante Maria zit buiten, zie je haar?' Ze zwaait, maar de vrouw die net langs het huis loopt, kijkt niet op.
'Kom je volgende week weer naar de club?' Hij wil het weten.
'Misschien. Even kijken. Als pastor Eris mijn moeder vindt, komt hij me halen. Dus ik beloof nooit zo lang van tevoren dat ik kom.'
Wat gek, net zei ze dat ze er niet meer in geloofde. En nu zegt ze het toch weer, dat Eris haar misschien komt halen ...
'Oké, wat ga je deze week doen?' Hij probeert het op een andere manier.
'Ik weet het nog niet. Meestal help ik 's morgens tante op het land. En 's middags doe ik wat voor mezelf. Soms ga ik met andere meiden uit de buurt spelen.'
'Zullen we morgenmiddag weer op hetzelfde plekje afspreken? Als het niet uitkomt, dan geeft het niet. Als het lang duurt, dan ga ik gewoon weer naar huis.'
Hij hoopt dat ze 'ja' zegt.
'Misschien wel. Als het lukt, dan ben ik er rond drie uur. Niet eerder.'
'Best', zegt Sonson. 'Tot snel!' Hij houdt zijn hand in de lucht. Ze geeft er met haar vlakke hand een stevige klap tegen.
'Dag Chapopay.' Weg rent ze.
Sonson draait zich om en loopt fluitend naar huis.
Als Sebastian hem maar niet met haar heeft zien weglopen, dan hoeft hij ook niet op vervelende vragen te rekenen. Hij is wel vaker zo laat thuis.

Hoofdstuk 11

'Pastor Eris komt morgen hier.'
Darline zit naast Sonson, op hun vaste plekje. Bijna elke dag zien ze elkaar. Alleen niet als het hoost van de regen. Nog nooit heeft Sonson het weer zo belangrijk gevonden als de afgelopen weken. Als het regent, kan hij echt balen.
'Hij komt hier voor een conferentie, met andere kerkleiders. Het is voor de eerste keer dat hij hier een conferentie heeft', gaat Darline verder.
'Leuk. Slaapt hij bij de koster in huis?'
'Ja, hij slaapt bij ons.'
'Je mag wel wat blijer kijken hoor. Je doet net alsof het vreselijk is dat hij komt.'
Ze steekt haar tong naar hem uit. 'Jij weet niet wat ik weet. Dan zou je mij wel snappen.' Ze legt haar hoofd op haar knieën en kijkt hem schuin aan.
'Wat ben je weer heerlijk duidelijk. Ik weet niet wat jij weet. Nee, dat klopt. Maar wil je wel dat ik weet wat jij weet?'
Hij kijkt haar aan. Ze heeft haar ogen dicht en bijt op haar lip. Ze gaat vast iets zeggen wat ze moeilijk vindt.
'Ja , ik wil dat jij weet wat ik weet. Omdat iedereen denkt dat ik het niet weet, maar ik weet het wel.'
'Ik geloof dat het tijd wordt dat je het gaat zeggen, want je wordt nog vager dan vaag.'
'Oké', zegt ze. Ze gaat rechtop zitten en steekt haar neus in de lucht.
'Tante Maria en de koster willen van me af. Niemand weet dat ik het weet, want ja, dat mag ik natuurlijk niet merken. Maar ik weet het wel.'

Sonsons mond valt open. 'Ze willen van je af? En hoe weet je dat zo zeker? Of haal je je maar wat in het hoofd?'
Darline bijt harder in haar lip. 'Nee, dat heb ik me niet in mijn hoofd gehaald, maar dat heb ik zelf gehoord.' Ze gaat harder praten. 'De koster zei dat tegen tante Maria. Ze hadden het erover dat ze te oud zijn om voor me te zorgen.'Ze legt haar hoofd weer in haar schouders. Haar schouders hangen naar beneden.
'Maar dat is niet omdat ze jou vervelend vinden, of niet aardig. Misschien zegt de koster dat wel omdat hij graag wil dat je weer naar school gaat.'
'O ja? En waar ga ik dan wonen? Ook bij mensen die na een tijdje zeggen dat ze niet langer voor me kunnen blijven zorgen?' Ze kijkt hem boos aan.
'Jij ...', gaat ze verder. Ze houdt haar adem in. 'Jij snapt me niet. Jij hebt makkelijk praten met een vader en moeder en een leuke familie. Jij snapt niet hoe het is om alleen te zijn en van de ene familie naar de andere familie te moeten gaan. Alsof ik een pakketje ben.'
Sonson wrijft over zijn voorhoofd en blaast in zijn gezicht. Wat moet hij hierop zeggen? Hij weet inderdaad niet wat het is om alleen te zijn.
'Zo bedoel ik het niet joh.' Hij legt voorzichtig zijn hand op haar arm. Boos slaat ze die weg.
'Wanneer hoorde je dat de koster dit tegen tante Maria zei?'
'Gisteravond, toen ik sliep. Tenminste dat dachten ze.'
'Dacht ik al.' Hij gooit een steentje de heuvel af. 'De koster heeft naar de radio geluisterd. Net als mijn vader. Gisteren was in het nieuws dat de scholen op 4 april weer opengaan. En dat de leerlingen dan verwacht worden. De leerlingen van scholen die verwoest zijn krijgen les in tenten. Het schijnt dat er overal tenten staan in de stad. Ook grote tenten waar hele klassen in kunnen. De koster wil gewoon graag dat jij naar school gaat.'
De boze ogen van Darline veranderen in vragende ogen. Ze kijkt

Sonson aan. Hij kijkt strak terug, zonder met zijn ogen te knipperen.

'Echt waar ...? Sorry', zegt ze zacht. Hij blijft haar aankijken.

'Ik wist dit niet. Maar... waar moet ik dan heen in de stad? Mijn huis is kapot. Mijn moeder is er niet meer. Tenminste ... ik denk het niet. Ik hoop er nog steeds op.'

Sonson heeft hier geen antwoord op. 'Laten we het maar afwachten. Kom, we gaan naar mijn huis. Mijn moeder vroeg of we warme chocolademelk komen drinken.'

Sebastian is vandaag de hele dag op pad met zijn vrienden. Met hem erbij neemt hij Darline liever niet mee naar huis. Denis kan hij wel aan, maar Sebastian heeft hem altijd zo door. Ze hollen naar het huis van Sonson. Hijgend komen ze aan.

'Jullie hebben geluk. Ik heb het net ingeschonken.' Moeder komt met een blad plastic bekers aanlopen. Op het stenen trapje drinken ze het op.

'Sonson, papa heeft contact gehad met tante in de stad. Volgende week brengt hij je weg. Dan blijft hij een paar dagen bij je en kijkt of het voor tante niet te veel is. Ze is natuurlijk ouder en laten we hopen dat het tijdelijk is.'

'En Rhodé en Sebastian? Blijven die hier?'

'Ja, die hebben niks in Port-au-Prince te zoeken. Hun school ligt nog plat. Het zal met een beetje geluk oktober zijn als ze weer kunnen starten. Jij mag op 4 april weer naar school.'

Sonson slurpt voorzichtig van zijn choco en kijkt Darline expres niet aan. Over een week gaat hij weg en blijft zij hier achter. Hij hoopte eigenlijk dat tante ook Darline in huis kon hebben. Maar zoals mama nu praat, is daar geen sprake van. Hij moet een plan verzinnen. Darline moet ook naar Port-au-Prince, dan ziet hij haar tenminste nog!

De volgende dag staan er veel auto's bij de kerk geparkeerd. Sonson slentert wat rond met Denis.

'Hé Sonson, jij hier? Mano vertelde me al dat hij jij hier woont. Je krijgt de groeten.'
Eris loopt naar hem toe.
'Leeft zijn familie nog?' vraagt Sonson.
'Ja, dank God. De hele familie is nog in leven.' Eris trekt aan de revers van zijn colbert.
'En hoe maak jij het? Ga je weer naar school op 4 april? Mano heeft er zin in om je weer te zien, zei hij.'
'Ja. Mijn vader heeft met mijn tante gepraat. Ik kan voorlopig bij haar wonen. Haar huis is niet beschadigd en ze woont vlak bij mijn school.'
'Mooi. Je hebt geluk kerel, dat besef je zeker wel?'
'Ja. U kent Darline toch ook? Kan ze bij u komen wonen? Dan kan ze ook naar school.' Nu heeft hij het eruit gefloept. Gisteravond in bed heeft hij een paar keer geoefend hoe hij dit zou zeggen. En nu is het eruit.
Eris wrijft over zijn kin en kijkt langs hem weg.
'Darline, ja die ken ik. Bij mij kan ze niet wonen. Mijn vrouw en ik zijn vaak samen onderweg. En dan moet ze alleen thuis blijven. Ik weet niet of ik wat voor haar kan doen. Ze is hier in Forêt-des-Pins in een rustige omgeving. Ze heeft zo veel verdriet.'
'Ja, ik weet dat ze verdriet heeft. Maar daarom zou een school toch leuk zijn voor haar? Kan ze niet bij Mano wonen? Dan kan ze bij ons op school komen! Ze hoopt haar moeder ook nog te vinden.' Hij hoopt dat Eris iets kan zeggen over haar moeder.
'Nee, haar moeder zal ze waarschijnlijk niet vinden. Het lichaam is ook niet gevonden. Het puin bij hotel Therese is enorm. Binnenkort gaan ze de ravage opruimen. Ze vinden haar niet meer, denk ik. Ik zal hier nog eens met Darline over praten. Ze moet dit ook weten.'
Sonson voelt een rilling door zijn lijf gaan. Je moeder onder het puin en dan over een poosje die ravage opruimen? Hij denkt niet verder door.

‘Maar u kent toch veel mensen? Kunt u niks voor haar proberen te regelen?’ Hij hoopt dat Eris iets kan regelen via Mano. Dan komt Darline bij hem op school!
‘Weet jij hoeveel mensen er in de stad getroffen zijn? Natuurlijk helpen we elkaar, maar veel mensen hebben genoeg aan hun eigen familie.’ Eris denkt na en staart voor zich uit. ‘Ik heb contact met de buurvrouw van Mano. Haar huis is niet beschadigd en ze woont alleen. Misschien dat ze Darline kan helpen. Ik doe mijn best, geloof me. Ze heeft hier in elk geval iemand die goed voor haar wil zorgen.’ Hij kijkt met een ondeugende lach naar hem.
Sonson krijgt het warm.
‘Fijne dagen hier, ik moet er weer vandoor’, zegt Eris.
Sonson wil hier zo snel mogelijk wegwezen. Het is natuurlijk overdreven zoals hij zijn best doet voor Darline, maar hij moet er niet aan denken dat ze hier achterblijft bij de koster, terwijl hij naar de stad gaat om weer naar school te gaan! Een dag zonder praten met Darline is saai en kaal.

De laatste dagen voor het vertrek zijn voorbij gevlogen. En vandaag is het zover. Darline en Sonson staan tegenover elkaar. Darline heeft hetzelfde blauwe shirt aan als toen hij haar de eerste keer zag. Alleen heeft ze haar strohoedje niet op. Ze heeft een plastic zakje bij zich.
‘Hier,’ zegt ze, ‘dit is voor jou. Dan denk je misschien nog eens aan me. Misschien vind je er geen klap aan, maar ik heb niks anders voor je.’
Sonson pakt de plastic zak aan en kijkt erin.
‘Nee joh, dit moet je niet doen. Jij vond dit zelf juist zo’n mooi cadeau!’
Sonson ziet in de tas de gedichtenbundel die Darline kreeg toen ze met haar groep op de club de gedichtenwedstrijd won.
Darline schudt haar hoofd. ‘Nee, ik wil echt dat je hem meeneemt. Ik heb voorin iets geschreven.’

Sonson trekt het grote dunne boek eruit en slaat het open. Hij leest de woorden in haar mooie handschrift geschreven:
Voor mijn Chapopay, een vriendschap om niet meer te vergeten, Darline.
Hij slikt en krijgt natte ogen. Als je dit leest, lijkt het net alsof de vriendschap over is en ze elkaar nooit meer zullen zien. Het is stil. Sonsons keel zit dicht, hij kan even niks zeggen.
Dan kijkt hij haar aan. Ze heeft ook vochtige ogen. Hij wil iets lolligs zeggen, zodat ze weer gaat lachen. Maar hij weet niks. Er is niets leuks aan.
Darline legt haar hand op zijn arm en zegt: 'Dag Chapopay.' Ze loopt een paar stappen terug.
'Darline.' Zijn keel is droog en hees. Hij wil praten, heel veel tegen haar zeggen, maar het lukt niet.
'We zien elkaar echt wel weer hoor. Eris beloofde zijn best te doen voor jou. Misschien is er iemand in de omgeving bij Mano die voor je kan zorgen. Dan zit je bij mij op school.'
Ze staan een paar stappen bij elkaar vandaan, hij legt een hand op haar arm. Zo afscheid nemen is waardeloos. Maar hij wil niet over de buurvrouw van Mano praten. Straks lukt het niet en heeft ze te veel hoop gekregen.
Even glimlacht ze. Dan schudt ze zijn hand van zich af en zegt met haar neus in de lucht: 'Ik ga niet dromen over dingen die toch niet komen. Misschien ben ik hier niet meer, als jij weer terugkomt in de vakantie. De koster en tante Maria kunnen niet voor me blijven zorgen. Maar dan heb je nog wel mijn boek en kun je aan me denken.'
Sonson durft haar niet meer aan te raken. Ze staat daar zo dapper. Hij wil nog een keer een lach om haar mond zien.
'Jij denkt dat ik een boek nodig heb om jou niet te vergeten? Dat kan ik ook wel zonder gedichtenbundel hoor. Je bent mijn vriendin en blijft mijn vriendin.'
Ze tovert een glimlach op haar gezicht en zegt: 'En jij bent en blijft

mijn Chapopay. Je moet gaan. En ik ook. Dag!'
Ze draait zich met een ruk om. Haar rok maakt een zwierige beweging. Ze rent het pad af, naar het huis van de koster en tante Maria. Sonson staart haar na en hoopt dat ze nog een keer omkijkt. Maar ze doet het niet. Als hij nog een klein blauw stipje in de verte ziet, draait hij zich ook om en loopt naar huis.

Deel 3

Terug in de stad

Port-au-Prince

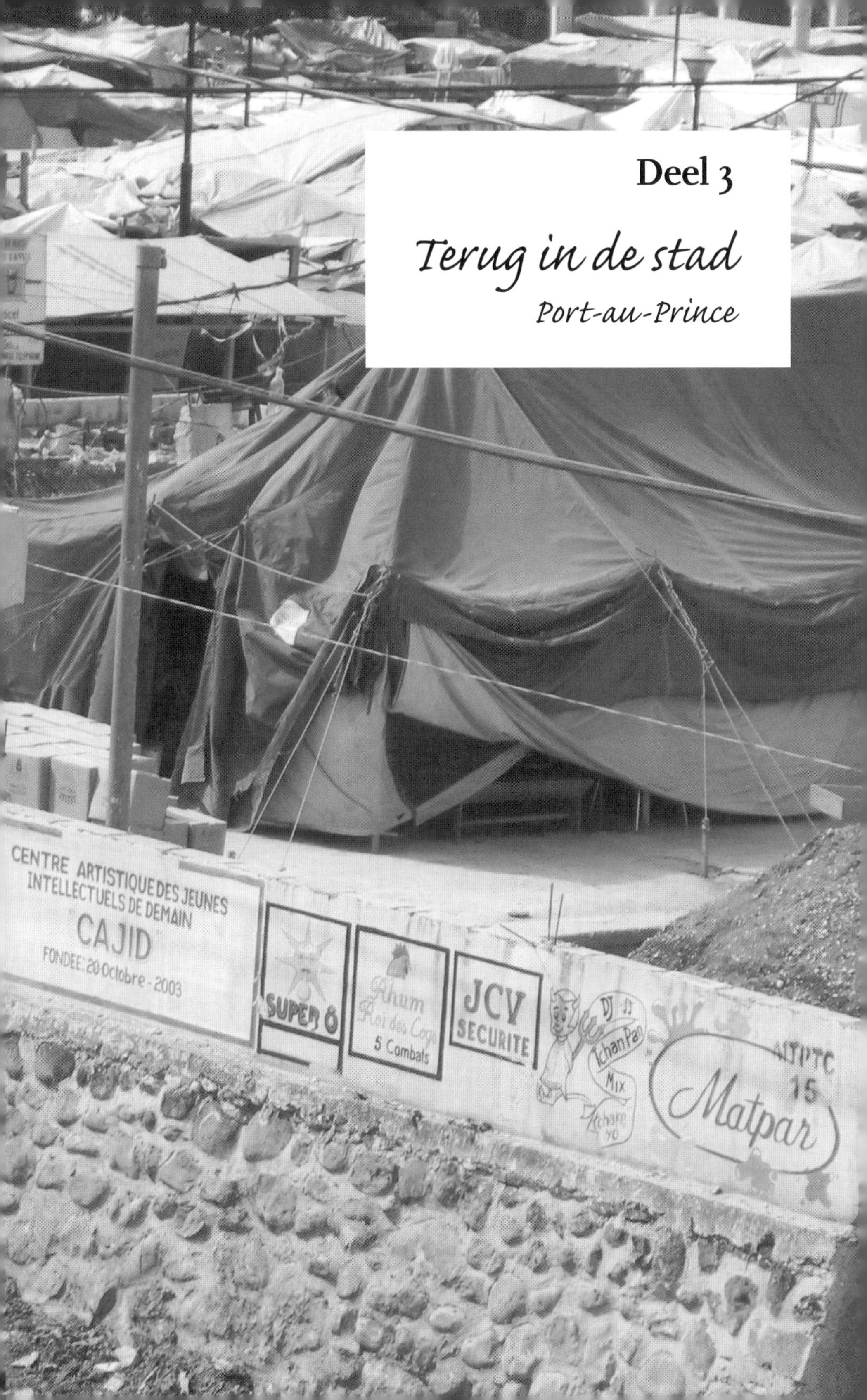

Hoofdstuk 12

Het getoeter van auto's klinkt Sonson bekend in de oren. Alsof hij niet is weggeweest. Terwijl hij een paar uur geleden nog met vader door Forêt-des-Pins liep. De weg is vol met mensen. Vader en hij hebben bij de uitstapplaats van de bus een taptap genomen. Ze zitten helemaal achterin, op het bankje van de taptap. Gelukkig is het niet heel erg vol. De grote plastic zakken met bonen en zoete aardappels liggen op hun schoot en staan voor hun benen. Sonson kan net over de houten balk aan de zijkant van de taptap heen kijken.

Langs de weg zit een grote vrouw op een klein bankje, met achter haar een kleed dat vol met sinaasappels ligt.

Ze lijkt wel een beetje op Snoepjesoma. Gek, in Forêt-des-Pins heeft hij geen moment aan Snoepjesoma gedacht. Nu denkt hij weer aan haar.

Langs de weg ziet hij ingestorte gebouwen. In de verte staan mensen met gele helmen op een ingestort gebouw. Als ze erlangs rijden, ziet hij dat ze aan het werk zijn. Ze hebben schoppen en hakbijlen in hun hand. Van grote blokken beton maken ze kleine stukjes. Andere mensen dragen grote handschoenen. Ze pakken de keien beet en gooien ze in een grote laadbak aan de kant van de weg.

'Cash for work'[10], zegt vader. 'Ik hoorde het op het nieuws. Kijk maar, ze hebben allemaal dezelfde shirts aan. Ze ruimen elke dag puin en krijgen daarvoor per dag betaald.'

'Van wie krijgen ze dat geld?' vraagt Sonson.

'De overheid geeft geld aan organisaties om dit uit te voeren. En ik heb gehoord dat er ook geld uit het buitenland komt.'

[10] Geld voor werk. Kijk achterin voor meer informatie

Sonson knikt.
Er rijden veel auto's met vreemde namen rond. Hij heeft al verschillende wagens gezien: USAID, UNICEF, Parole et Action, AMG, CRWC. De namen kent hij niet, maar je ziet direct dat het hulporganisaties zijn, met van die hoge jeeps. De mensen in de auto's dragen een petje met de naam van de organisatie erop.
Voor de aardbeving zag je dat soort auto's ook wel, maar op dit moment ziet hij er veel meer.
Sonson voelt zich opgejaagd nu hij weer in de stad rondrijdt. Deze wereld was ver weg in Forêt-des-Pins. Maar nu komt alles weer terug. Hij doet zijn ogen dicht en voelt weer precies wat hij voelde toen hij net na de aardbeving alleen door de straten liep, op zoek naar Sebastian en Rhodé.
'Veel blancs op straat hè?' zegt vader.
Sonson knikt en kijkt weer over een zijbalk van de taptap heen naar buiten.
'En die tenten overal tussen de huizen. Dat is ook een vreemd gezicht', zegt Sonson.
Gelukkig, zijn stem trilt niet. Vader hoeft niet te weten wat hij denkt en voelt.
Vader buigt zich naar voren en kijkt langs de andere mensen in de taptap heen naar buiten. 'Wacht, even opletten, want we moeten hier bijna uitstappen. We zijn bij de John Brownstraat. Als de taptap stopt, stappen we uit.'
Sonson probeert de grote zak op zijn schoot van zich af te schuiven. De man tegenover hem kijkt geërgerd. De zak voor de voeten van Sonson valt tegen zijn benen aan.
De taptap stopt en vader gaat staan. Sonson volgt zijn voorbeeld. Een vrouw naast papa steekt haar hand uit: 'Geef die zak maar even hier, dan geef ik je hem straks aan als je buiten staat.'
Vader heeft veel spullen meegenomen uit Forêt-des-Pins. Rijst, bonen, zoete aardappels, alles in grote, witte plastic zakken. Papa gooit er twee op zijn rug en pakt de zak van Sonson aan als hij de

taptap uit stapt. 'Ik draag deze wel. Als jij de zak met bonen draagt, is het helemaal geregeld', zegt vader.
De vrouw staat op de taptap met de zak bonen. Ze buigt zich in de richting van Sonson. Hij pakt de zak met bonen aan en houdt deze voor zijn buik. Op zijn rug zit zijn rugtas met kleren en de gedichtenbundel van Darline. Die draagt hij het liefst zelf, want die mag hij niet kwijtraken.
Hij gaat achter vader aan die al op de stoep loopt.
'We gaan naar de wijk Fort National, daar woont tante!' roept vader. Hij beent er stevig vandoor met een gebogen rug vol zware zakken.
'Oké', antwoordt Sonson. Hij moet hard zijn best doen om vader bij te houden. Wat loopt die man ongelooflijk hard. Hij heeft geen tijd om de buurt om hem heen in zich op te nemen. Op naar tante. Eigenlijk moet hij blij zijn dat hij weer naar school kan. Heel veel kinderen zijn naar het platteland gevlucht en komen voorlopig niet meer terug, omdat ze geen huis hebben of geen familie in de grote stad. Maar hij is helemaal niet blij. Zijn hoofd voelt als een lege kokosnoot. Hij denkt aan vanmorgen. Het afscheid van moeder, Rhodé, Sebastian en Denis. Het was niet leuk, maar hij gaat ze vast nog wel zien over een paar weken.
Het afscheid van Darline was vreselijk. Zou hij haar ooit nog zien? Hij hoopt dat het Eris gelukt is met de buurvrouw van Mano. Maar Eris beloofde niks. Hij had meer mensen die hij nog moest helpen. Waarom zou hij dan als eerste aan Darline denken? Misschien gaat ze wel naar een heel andere wijk in de stad en komt hij haar niet meer tegen.
Hij zucht diep.
Er staat aan de kant van de weg een lange rij mensen te wachten met emmers en waterbakken. Aan het begin van de rij staat een grote watertank. Door de hele stad heen staan tenten. Witte of grijze. Het is een vreemd gezicht. Op de tenten staan grote, zwarte letters gedrukt: USAID of UNICEF.

Aan de buitenkant van de tenten zitten mensen bij elkaar. Sommige mensen verkopen eten. Overal ligt puin.
Vader loopt hard, maar kijkt ook steeds zorgvuldig rond. Af en toe staat hij even stil om te kijken waar ze zitten.
'We zijn er Sonson, hier de steeg in. Daar woont mijn zus.'
Ze lopen een smalle steeg door. Hij ademt diep in. Dit voelt als de steeg bij school. Hij krijgt het benauwd. Hij hoort het donderend geraas van de stenen weer. Hij dacht dat hij alles vergeten was, maar het komt in een klap terug. Hij krijgt het warm en koud tegelijk. Papa mag niets merken.
'Bonjou.' Vader klopt op een ijzeren hek. Er klinken voetstappen. Het hek gaat open.
'Broer! Goed je te zien!' Vader en tante omhelzen elkaar. Tante huilt.
'En jij welkom in mijn huis, Sonson. We gaan er wat moois van maken.'
Sonson zet een stap over de ijzeren stang die onder het hek zit. Hij kijkt de binnenplaats spiedend rond. Een magere hond schuurt langs zijn benen. De stenen grijze muren geven hem een opgesloten gevoel. Er staat een gele jerrycan met water bij de deur. De gebloemde gordijnen voor de deur bewegen zacht heen en weer. Tante gooit het gordijn aan de kant.
'Kom binnen.'
Sonson kijkt rond. De muren zijn van steen. Dan kijkt hij omhoog. Het dak is van golfplaat. Gelukkig, als er weer een beving komt, kan hij geen stenen dak op zijn hoofd krijgen terwijl hij slaapt. Hoewel een golfplaat ook geen pretje zal zijn. In Port-au-Prince voelt alles anders. Tante kijkt hem aan. Het lijkt alsof ze ziet wat er in zijn hoofd omgaat.
'Ik heb ook een poosje buiten geslapen. Maar er zijn mensen van de overheid langsgekomen. Mijn huis kreeg een groen stempel. Dat betekent: bewoonbaar. Je kunt het aan de buitenkant van de muur zien. Het is echt veilig hier, Sonson.'

Sonson knikt. Het is misschien wel veilig. Maar hij voelt zich niet veilig. Hij hoopt niet dat hij weer zal dromen en schreeuwen vannacht. Als tante het hoort!
'Ik slaap die paar nachten hier wel samen met Sonson in een bed, hoor. Maak geen drukte', zegt vader.
'Kom, ik laat je even de slaapruimte zien', zegt tante.
Ze lopen achter haar aan. In de kleine slaapkamer staat een tweepersoonsbed. Vader en Sonson zetten hun spullen neer. Vader en tante lopen weer terug naar de kamer, maar Sonson ploft op het bed neer en kijkt rond. De kamer is anders dan in Forêt-des-Pins. Het is hier stikkend heet. Gelukkig staat er een ventilator op het kleine, houten tafeltje in de slaapkamer.
Hij zucht. Waar zou Darline zijn?

'Deze tent is van de Carolineschool, Sonson. Ik zie je vanavond weer! Fijne dag.' Vader duwt hem de kant van een grote, witte tent op. Er lopen volwassenen en kinderen voor de opening.
'Tot vanavond!' zegt Sonson. Vader verdwijnt in de mensenmenigte. Hij gaat op zijn tenen staan en kijkt of hij bekenden ziet. Dan draait hij zich om. Achter hem staat de school. De voorkant is weg. Het puin is opgeruimd.
Opeens voelt hij twee stevige handen voor zijn ogen.
'Ra, ra, wie ben ik?' De stem van Mano!
Sonson rukt zich los en pakt Mano stevig beet. 'Hé jongen! Was je hier? Ik zag je nergens. Hoe is het met je?'
Mano is niks veranderd. Alleen zijn zwarte kroeshaar is korter geknipt. Hij draagt het uniform van school, de witte bloes en de blauwe broek. Sonson weet eigenlijk helemaal niet waar zijn uniform is.
'Hoe is het met je?' vraagt Mano.
'Goed', zegt hij. Hij gaat natuurlijk niet meteen over Darline beginnen. Dat valt op.
'Zijn er mensen uit jouw familie overleden?' vraagt Sonson. Ze

lopen samen door de opening van de tent.
'Mijn oom. Hij is onder het puin vandaan getrokken, maar was al dood.'
Mano trekt hem aan zijn arm. 'Kom, hier moeten we zijn. Het is een tent met vier klassen. In elke hoek een klas. Wij zitten vooraan, bij juf Vena.' De tafeltjes en stoeltjes staan in keurige rijen. Op de grond van de tent liggen kleden.
Voor de tafeltjes en stoeltjes in de rechterhoek staat juf Vena. Alsof ze nooit is weggeweest. Het witte, kleine handdoekje heeft ze weer bij zich. Het voelt vertrouwd, maar toch is alles anders.
Juf Vena komt naar hem toe. 'Sonson, goed je weer te zien. Hoe is het met jou?' Ze staan aan de zijkant van de rij tafeltjes en stoeltjes.
'Goed. Ik ben sinds een paar dagen weer in de stad. Na de aardbeving ben ik naar mijn vader en moeder gegaan in Forêt-des-Pins.'
'Fijn dat je vader en moeder nog leven! Heb je familie of vrienden verloren?' Juf Vena laat zijn hand los, gaat op het tafeltje achter haar zitten en kijkt hem strak aan.
'Eh ... ja, mijn voetbalvriend Carlos is onder het puin van de school terechtgekomen. Hij leeft niet meer.' Hij slikt. De afgelopen dagen heeft hij weer veel aan Carlos gedacht. Hij mist zijn voetbalvriend. Hij mist Reinaldo ook, maar die komt misschien nog wel een keer terug naar de stad. Hopelijk wel. Net als Darline ...

Juf Vena loopt naar voren en klapt in haar handen.
'Luister even. Ga allemaal in rijen zitten.'
De kinderen zoeken een plekje. Sonson zit naast Mano. Net zoals op 12 januari. Alleen is alles anders. Hij zit naast Mano en Forêt-des-Pins lijkt ver weg. Mano hoort bij de drukke stad. Niet bij Forêt-des-Pins. Daar denkt hij bijna nooit aan Mano. Darline hoort bij Forêt-des-Pins. Toch denkt hij in Port-au-Prince veel aan haar. Wat zou ze doen? Zou ze in de auto zitten bij Eris? Op weg naar Port-au-Prince?

'Ik heb zojuist iedereen gesproken die hier is. Jullie hebben ook de tijd gehad om met elkaar te praten. Niet iedereen is hier aanwezig. We weten nog niet van alle kinderen waar ze zijn. Er zijn jongens en meisjes naar het platteland vertrokken, naar familie. En ...,' de juf gaat zachter praten, 'er zijn ook kinderen gestorven. We gaan daar vandaag nog met elkaar over praten. Eerst gaan we iets anders doen. Je krijgt een pen en papier en schrijft een verhaal. Zoek een plekje binnen of buiten de tent en schrijf iets op. Het maakt niet uit wat. Gewoon wat er in je opkomt. Iets wat je leuk vindt, of verdrietig of grappig. Kijk maar. Daarna mag je een mooie tekening maken.'
De juf loopt door de rijen en deelt schriften en pennen uit.
'Op mijn tafel liggen grijze potloden. We hebben geen kleurpotloden dus het moet een zwartwittekening worden. Doe je best. Over een uur ben je weer hier. Ga niet te ver uit de buurt zitten. Ik wil iedereen goed aan het werk kunnen zien.'
'Ik ga naar buiten', zegt Mano. Sonson loopt achter hem aan. De tent staat buiten de binnenplaats van de school. Alleen de grote muur van de binnenplaats is zichtbaar. De halfkapotte school staat er achter. Mano gaat met zijn rug tegen de muur van de binnenplaats zitten.
Even verderop staat de smalle deur van het hek open. Sonson loopt door de smalle deur van het hek en staat stil. Hier was hij toen het vreselijke gebeurde. Hij kijkt rond. De achterkant van de school staat pal overeind. Er staan grote gele stempels op de muren. De school is dus onbewoonbaar, maar wel te repareren.
Hij gaat tegen de grote boom in het midden van de binnenplaats zitten. Lekker koel is het hier.
Hij kauwt op zijn pen. Waar moet zijn verhaal over gaan?
Natuurlijk gaat iedereen over de aardbeving schrijven. Hij hoorde sommigen in de klas er al over praten. De aardbeving is hier weer helemaal teruggekomen in zijn leven. In Forêt-des-Pins kon hij de aardbeving soms wel even vergeten.

Hij heeft geen zin in een zielig verhaal. Hij wil iets schrijven waardoor alle kinderen in de tent het uitbrullen van de lach, zodat ze even alle ellende vergeten.
Sonson denkt diep na en krijgt dan een idee. Zijn pen vliegt over het papier. Na drie kwartier leest hij het verhaal tevreden door.
Hij staat op en loopt naar de tent. Mano zit al op zijn plaats. Sonson schuift naast hem in de bank. Juf Vena roept de laatste kinderen bij elkaar. Iedereen mag zijn verhaal voorlezen. Er zitten mooie verhalen bij, maar ook heel verdrietige. Af en toe moet hij slikken.
'Sonson, jij bent als laatste aan de beurt.'
Sonson staat op. Even twijfelt hij. Is het niet heel gek om na alle serieuze verhalen dit verhaal voor te lezen? Misschien snappen juf Vena en de kinderen het wel niet en vinden ze het raar.
Maar dit is zijn verhaal. Hij vouwt zijn papier open en leest:
'Mijn verhaal heeft de titel: "Sik".'
In de tent hoort hij zacht gegniffel en gegiechel. Niks van aantrekken en lezen.
Ik zit met mijn oma in de kerk. Het is de zondag na die vreselijke dag. 12 januari, de dag die niemand in Haïti ooit zal vergeten. De dominee voor in de kerk spreekt. Het is stil in de kerk. Hier en daar klinkt er gesnif en gehuil. Mijn oma huilt ook. Ze heeft verdriet. We zingen met elkaar. De dominee begint zijn preek. Hij is vol vuur. De grote sik onder zijn kin wipt bij elke beweging met zijn hoofd mee.
Sonson stopt even. Het is heel stil, hij kijkt de tent in. Alle kinderen kijken hem aan. Hij ziet achter de laatste bankjes van de klas een rij kinderen staan die niet in zijn klas zitten. Ze luisteren mee. Hij leest verder. Het gaat goed, hij heeft de juiste toon te pakken. De laatste alinea is het spannendst. Zullen ze gaan lachen? Of is het juist een heel flauwe, kinderachtige grap?
De dominee kijkt de kerk rond. Hij ziet alle huilende mensen, maar zijn ogen blijven steken bij mijn oma. Na de dienst loopt hij in een rechte lijn op haar af. Hij pakt met beide handen haar oude rimpelige handen vast. 'Madame, madame bent u zo verdrietig?' zegt hij. Zijn stem

is vol medelijden. 'Waarom moet u zo huilen?' De dominee kijkt haar aan. Dan zegt ze met haar oude beverige stem: 'Uw sik dominee, uw grote lange sik aan uw kin.' De dominee kijkt verbaasd en strijkt door zijn sik.

'Waarom maakt mijn sik u zo verdrietig?' vraagt hij verbaasd.

'Mijn oude bok is vannacht in de schuur overleden. Dood.'

Er wordt gegrinnikt. Juf Vena schiet in de lach. Sonson gaat verder.

'En ik hield zo veel van hem. En elke keer als ik uw sik zag zwiepen, moest ik weer aan dat lieve beest denken.'

De laatste zinnen van het verhaal wil Sonson ook voorlezen, maar nu barst het gebrul los. Na alle serieuze verhalen wordt er eindelijk gelachen. De jongens stompen elkaar of klappen op hun knieën. De meisjes lachen met de hand voor hun mond. Sonson kijkt de tent in en ziet vrolijke gezichten.

'Bedankt voor je vrolijke verhaal Sonson, dat is een mooie afsluiting. Ga nu maar weer naar je plaats', zegt juf Vena.

Sonson vouwt zijn papier dicht en loopt naar zijn stoel. Als hij bijna bij zijn stoel is, blijft hij staan.

Hij knippert met zijn ogen.

Droomt hij, of is het echt?

In de rij bij die kinderen achter in de klas staat een meisje met een hagelwitte bloes en een kleurige strik die onder haar strohoedje vandaan komt.

Darline!

De juf klapt in haar handen.

'Oké, iedereen gaat zitten. We gaan nog tien minuten aan de laatste opdracht werken die ik voor jullie heb. Willen de kinderen achter in de klas naar buiten gaan?'

Sonson staat nog steeds naast zijn bank. De stem van de juf klinkt in de verte. Hij kijkt regelrecht in haar gezicht. Hoe komt ze hier? Heeft Eris het toch voor elkaar gekregen? Waarom heeft hij het niet direct aan Mano gevraagd? Het zijn allemaal vragen die hij aan haar wil stellen.

Maar hij moet nog tien minuten wachten. Hij blijft naar haar kijken. Haar gezicht straalt en haar mond beweegt. Het warme gevoel dat hij altijd heeft als hij met haar praat, komt meteen weer over hem. Hij ziet wat haar lippen tegen hem zeggen.
'Chapopay!'

Informatie over Haïti

Misschien heb je over Haïti veel gelezen of gezien toen op 12 januari 2010 de aardbeving wereldnieuws was. Maar wat weet je eigenlijk over Haïti? Wat is de geschiedenis van het land, hoe is de cultuur en welke gewoontes zijn er? In dit gedeelte kun je hier meer over lezen. Je ziet een kaartje met de plaatsen die in het boek zijn genoemd en een afbeelding van het land. Verder kom je meer te weten over de ontwikkelingsorganisaties die meewerkten aan dit boek.
Hieronder zie je een kaartje van Haïti:

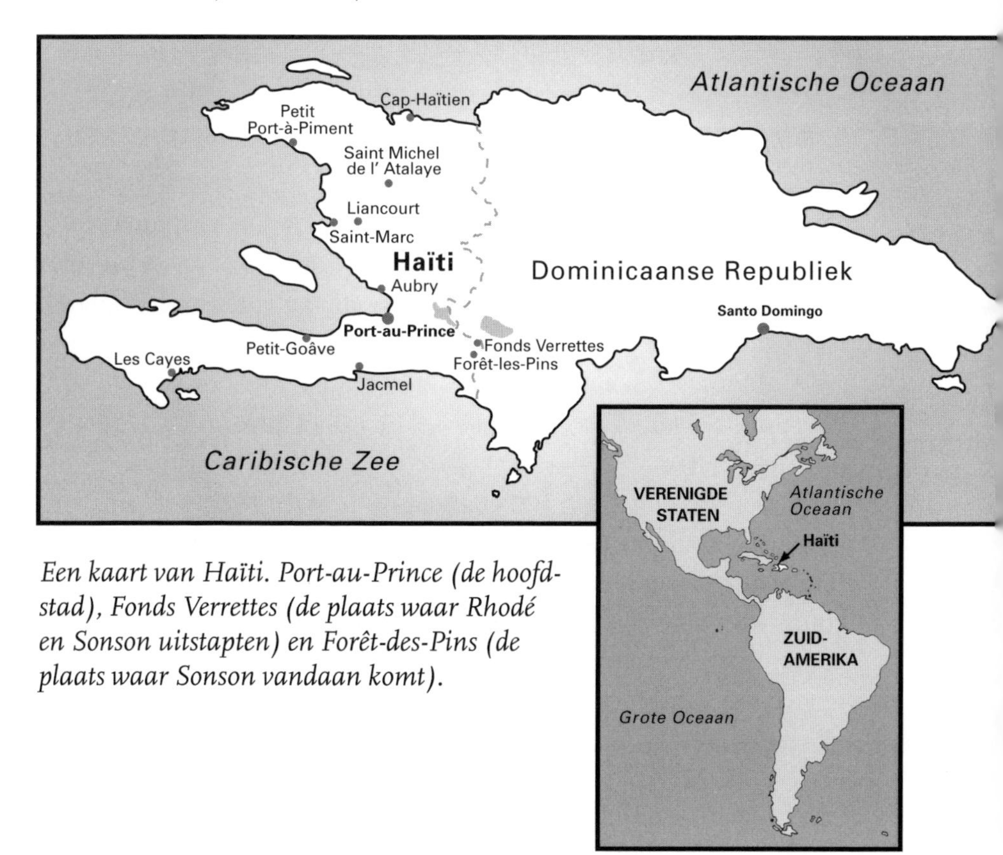

Een kaart van Haïti. Port-au-Prince (de hoofdstad), Fonds Verrettes (de plaats waar Rhodé en Sonson uitstapten) en Forêt-des-Pins (de plaats waar Sonson vandaan komt).

De taptap, een soort taxi die je heel veel ziet rijden in Haïti.

1. Algemene informatie

Haïti is een deel van een groot eiland. Dit eiland is kleiner dan Nederland. Het linkerstuk van het eiland is Haïti en het rechterstuk van het eiland is de Dominicaanse Republiek. In 1492 zette de ontdekkingsreiziger Columbus zijn voetstappen op het eiland. Het eiland werd bewoond door Arawak-indianen, die hun eiland Ayiti noemden. Columbus gaf het eiland een nieuwe naam: Hispaniola, klein Spanje. Het was toen een prachtig eiland met tropische bossen.

Later werd het deel van het eiland dat nu Haïti is een kolonie van Frankrijk. De Fransen noemden de kolonie Saint-Domingue. In de Franse tijd werden er veel slaven uit Afrika gehaald. Ze werkten op koffie- en suikerplantages. Veel koffie en suiker werd naar Europa verhandeld. Het leven als slaaf op Saint-Domingue was hard. In 1791 kwamen de slaven in opstand en grepen naar de macht. In 1804 richtten ze een vrije republiek op. Ze gaven het land weer de

oude indiaanse naam terug: Haïti. Haïti betekent 'land van de bergen', omdat het op veel plaatsen heuvelachtig is. In Forêt-des-Pins, de plaats waar Sonson vandaan komt, is het ook heuvelachtig. In Haïti spreken de meeste mensen Creools en Frans. Creools lijkt op de Franse taal.
Vroeger werd Haïti 'de Parel van de Antillen' genoemd, omdat het een mooie en welvarende kolonie was. Nu is Haïti een van de armste landen van het westelijk halfrond. Maar 5% van de bevolking is rijk. De meeste mensen moeten van twee Amerikaanse dollar per dag rondkomen. De hoofdstad Port-au-Prince is voor veel Haïtianen een plaats waar je moet zijn als je meer geld wilt verdienen. Je kunt er ook verder studeren of een betere baan vinden. En er is betere gezondheidszorg dan op het platteland. In Haïti maken ze nu, na de grote aardbeving van 2010, een plan om te kijken of mensen ook scholen of fabrieken en bedrijven op het platteland zouden kunnen starten. Dan zou Port-au-Prince niet nog meer overbevolkt raken en zouden er meer plaatsen komen waar je genoeg geld kunt verdienen of goed onderwijs kunt volgen.

2. De vlag

De vlag van Haïti bestaat uit twee kleuren. De bovenste helft is blauw, de onderste helft is rood. In het midden staat een witte rechthoek waarin het staatswapen is afgebeeld. Dit staatswapen is een soort vaandel met de tekst: *L'Union fait la Force*. Dit betekent: eendracht maakt macht.

De vlag van Haïti.

blauw

rood

Het ingestorte paleis van de president. Het mooie witte gebouw was de trots van Haïtianen, maar ligt nu in puin.

3. De regering

Haïti kampt al jarenlang met veel problemen. Een belangrijke oorzaak is dat de overheid haar werk niet goed doet of kan doen. In de tweede helft van de negentiende eeuw heeft Haïti wel 22 presidenten gehad! Aan het begin van de twintigste eeuw vindt Amerika dat het niet goed gaat met Haïti en grijpt het in. De Amerikanen bezetten het land van 1915 tot 1934. Dan komt in 1957 president François Duvalier aan de macht. Een plattelandsdokter die zichzelf graag Papa Doc noemt: alsof hij een zorgzame vader is die voor zijn kinderen zorgt. Maar Papa Doc is helemaal geen lieve vader, hij is een dictator die alle macht in handen heeft. Papa Doc wordt later opgevolgd door zijn zoon Jean-Claude Duvalier: Baby Doc.

Er zijn veel mensen die niet blij zijn met deze regeringsleiders. Daarom vluchten ze naar Amerika. Eerst alleen de rijken en mensen met een goede opleiding, maar later ook de minder rijken. Baby Doc wordt in 1986 het land uit gejaagd. Na een moeilijke periode wordt in 1991 een andere man de baas: Aristide. Hij is priester en hij trekt zich het lot aan van de armen in de sloppenwijken en op het platteland. Hij belooft hen te helpen. Zijn goede bedoelingen mislukken. In 2004 komt er een opstand en Aristide vlucht het land uit. Préval wordt president. In november 2010 waren er nieuwe verkiezingen. In januari 2011 zal er een tweede ronde komen.

4. Rampen

De afgelopen jaren is Haïti door veel natuurrampen getroffen. Vooral door orkanen. De heuvels en vlakten die vroeger bedekt waren met bomen, zijn veranderd in kale hellingen en dorre vlak-

Na 12 januari was de chaos in de stad compleet. Nog steeds ligt overal puin. Als Sonson terugkomt van Forêt-des-Pins ziet hij dat er wel een poging gedaan wordt om het puin op te ruimen.

tes met cactussen. Er zijn veel bomen gekapt. Het hout werd geëxporteerd om meubels van te maken. De Haïtianen kappen ook veel hout voor houtskool. Bij het kappen van bomen werd er niet gedacht aan het planten van nieuwe bomen. In 1923 was daardoor driekwart van de boombegroeiing verdwenen. In de jaren tachtig was nog maar 4% van het landschap bebost. Er waren geen bomen meer die met hun wortels de grond bij elkaar konden houden tijdens grote orkanen of tropische regens. Zo'n orkaan of tropische regen spoelt grote stukken van het land weg. Dat gebeurde dan ook tijdens de orkanen van 2004 en 2008. De grote aardbeving op 12 januari 2010 overtrof alles. Niet alleen de armen in de hoofdstad Port-au-Prince werden geraakt, maar ook de rijken. Grote overheidsgebouwen zijn getroffen: het grote paleis van de president en het belastingkantoor. Wereldwijd kwamen er veel mensen in actie om Haïti te helpen.

5. Godsdienst

Officieel is 54% van de mensen in Haïti rooms-katholiek. De laatste jaren worden steeds meer mensen protestants. Godsdienst speelt een belangrijke rol in Haïti. Na de aardbeving zijn veel mensen tot geloof gekomen en kerken gegroeid.
Een andere religie die een belangrijke rol speelt in Haïti is voodoo. Toen de slaven uit Afrika naar Saint-Domingue kwamen, brachten ze dit geloof mee. In het voodoogeloof worden geesten aangeroepen. Die geesten worden 'loa' of 'mystè' genoemd. Je kunt volgens het voodoogeloof een geest inzetten voor een positief doel: gezondheid, een goede oogst, een man of vrouw of een kind. Maar je kunt ook een geest inzetten om iemand iets vervelends te laten overkomen. Bijvoorbeeld ziekte of dood.
Het aanroepen van geesten gebeurt meestal 's nachts. De voodoopriester staat in contact met die geesten. Als je iets voor elkaar wilt krijgen, moet je dus bij hem zijn. Hiervoor moet je wel betalen. In Haïti zijn veel mensen die rooms-katholiek zijn en die ook de

Een voodoopriester. Een heel gewone man om te zien, maar wel belangrijk in de wijde omgeving.

voodoogeesten aanroepen. Protestanten geloven ook dat er geesten zijn, zoals in de Bijbel staat. Maar ze willen niets met deze geesten te maken hebben. Deze geesten zijn namelijk niet van God, zeggen ze. In het verhaal zegt de vader van Sonson dit ook tegen de Alain, de voodoopriester.

6. De school

In Nederland zorgt de overheid dat er goede scholen zijn. Dat je naar school gaat, vind je heel gewoon. In Haïti is het merendeel

De Carolineschool, waar Sonson en Mano op zitten. De voorkant is helemaal in elkaar gestort en is op deze foto niet meer zichtbaar. Het puin is weggeruimd, want ze willen weer een nieuwe voorkant bouwen.

van de scholen niet van de regering, maar van een kerk of een dorp. Mensen betalen dus zelf voor dit onderwijs.
In Haïti beginnen kinderen net als in Nederland met de kleuterschool. Kinderen van drie tot vijf jaar kunnen daarnaartoe, maar dat is niet verplicht. Als je zes jaar bent begin je op de basisschool. Je moet dan negen jaar lang naar school. De basisschool bestaat uit drie delen: klas 1 tot 4, klas 5 en 6 en klas 7 tot 9. Om van het ene naar het andere deel over te gaan, moet je aan het einde van ieder deel examen doen. Helaas blijven veel kinderen in Haïti zitten, omdat er niet altijd goed onderwijs wordt gegeven.
Na de basisschool kun je beroepsonderwijs volgen, bijvoorbeeld op een technische school. Of je gaat naar het voortgezet onderwijs. Het voortgezet onderwijs (waar Sonson op zit) duurt nog eens vier jaar: klas 10, 11, 12 en 13. Daarna kun je hoger onderwijs volgen. In Haïti noemen ze dit de universiteit. Rhodé en Sebastian volgen het hoger onderwijs.
Na de aardbeving zijn veel scholen ingestort. Ook de universiteit ligt plat. Veel kinderen en jongeren kunnen daardoor niet naar school en lopen zo een leerachterstand op. Vaak krijgen ze nu les in tenten.

7. Tekeningen en gedichten

Na de ramp hebben kinderen en jongeren veel met elkaar gepraat om het verdriet goed te verwerken. Ze deden spelletjes met elkaar, schreven verhalen en gedichten of maakten tekeningen.

Hier zie je een tekening van Desir Mahime, gemaakt op 10 maart 2010.

Kijk, dit is mijn huis voor 12 januari 2010.

Kijk, dit is mijn huis na 12 januari 2010.

Hier lees je een gedicht van twee jongeren: Jonathan Mathias en Rodrigo Janvier.

Yon jou kote tout moun te trankil
Tout aktivite tap regle byen fasil
Jiske senke mwen di pase
Tout moun pedi konesans sans kalkile
Tout bagay te samble si nomal jou sa
Oken pat panse ak catastrophe sila a
Yo tout tap viv pezibleman
Bay blag, san pa gen okenn touman
Ou pat jwenn okenn kote pou kache
Okenn moun pa ka ede n
Pesonn pa ka rasire n
Paske tout moun te nan mache prese
Tout kote ou pase se kriye rele
Anmwe Jezi, kontra n rive
Ay ay, san koule tankou larivyè
Lavi a te vin gen youn jou amè

Tout moun ap chèche fanmi ak zanmi
Paske yo wè yo san avni
Tout moun te vin tankou chen fou
Ki san espwa pow wè douvan jou
12 janvye montre m
Ke m pa gen pouvwa sou lavi m
Jou sila prouve m
Ke byen materyel pa ka ede n
Ke se sel Bondye ki ka souve n
Sel sa pou n fe kounyea, se ba Jezi lavi n
Avek dat sa a
geven
Nou ka jwenn yon lot depa
Nou dwe repanse peyi n
E chanje lavi n
Pou nou gen yon lot peyi

Het leven ging zijn rustige gang die dag
Alles verliep goed, we leefden met een lach
Toen werd ons leven door elkaar geschud
Op tien voor vijf volgde een diepe put
Alles leek zo gewoon op die dag
Niemand die de ramp voorzag
We leefden ons vredige leven
Maakten grappen en hadden niets te vrezen
Er was niemand die een schuilplaats vond
Als dwazen liepen we in het rond
We vonden niemand om op te steunen
Niemand om tegen te leunen
Overal klonk gehuil en was verdriet
Help ons Jezus, ons einde is nabij
Ai ai, bloed stroomde als een rivier
Het leven veranderde die dag op een bittere manier

We zochten naar familie en bekenden
Onze toekomst leek een en al ellende
Tekeer gingen we als een razende hond
Hopeloos wachtend op de ochtendstond
12 januari heeft bewezen
Dat ik geen baas ben over mijn eigen leven
Geld en goed kunnen een mens niet helpen
God kan redden, Hij alleen
Geef Jezus je leven, nu meteen

Deze dag kan ons land een nieuwe start

Om te werken aan een beter leven
Ons land moeten we opnieuw beschouwen
Om een betere toekomst op te bouwen

(Vertaling Marcel Catsburg)

Meer weten?

www.samenvoorhaiti.nl
www.zoa.nl
www.woordendaad.nl
www.haitiinfo.nl

Een familie in Forêt-des-Pins op weg naar de markt. Op een zijpaadje tussen de naaldbomen lopen ze naar de hoofdweg. Het meisje heeft een Sappibon in haar mond.

WWKidz-organisaties

Woord en Daad

Woord en Daad is een organisatie die zich inzet voor arme mensen en kinderen. Woord en Daad werkt al meer dan 25 jaar samen met andere hulporganisaties uit Haïti. Samen proberen ze mensen een baan te geven, zorgen ze voor betere gezondheidszorg en werken ze aan goed onderwijs. Zo zijn er een paar scholen in de stad Port-au-Prince die door Woord en Daad worden gesteund, maar ook veel scholen op het platteland. Dankzij het feit dat veel mensen in Nederland een kind sponsoren, kunnen er heel wat Haïtiaanse kinderen naar school. Ze krijgen ook eten en kleding.
Na de aardbeving zijn de organisaties waarmee Woord en Daad samenwerkt direct aan de slag gegaan. In de stad zorgt het programma *Cash for Work* (Geld voor Werk) ervoor dat er puin geruimd wordt. Woord en Daad kijkt welke hulp er nodig is in de tentenkampen. De scholen zijn beschadigd. Daarom wordt er nu in tenten lesgegeven. En omdat er na rampen vaak ziektes uitbreken door slecht drinkwater, wordt er ook aan een goede watervoorziening gewerkt.
Woord en Daad vindt het belangrijk dat ook de mensen op Haïti weten dat God hen geschapen heeft. God wil niet dat ze in armoede leven. Dat liet Jezus zien toen Hij op aarde was: Hij genas zieken en hielp de armen. Hij gaf ons ook de opdracht om elkaar te helpen. In Nederland, maar ook in verre landen. Woord en Daad wil graag samen met de armen werken aan een betere toekomst.

ZOA-Vluchtelingenzorg

ZOA-Vluchtelingenzorg helpt mensen in landen waar een natuurramp of oorlog is geweest. ZOA helpt mensen met eten, drinken, een dak boven hun hoofd en onderwijs voor de kinderen. We blijven daarna net zo lang tot de mensen in die landen weer voor zichzelf kunnen zorgen. Deze hulp geven we omdat we geloven dat God van ons vraagt onze naaste te helpen.
ZOA heeft al in veel landen geholpen nadat er rampen gebeurd waren. Daar hebben we veel van geleerd. Na de aardbeving in Haïti kon ZOA daarom de slachtoffers van deze ramp snel helpen. We zorgden vooral voor eten, schoon water en wc's. Dat deden we samen met Woord en Daad, en samen met een organisatie uit Canada (CRWRC).
Daarna werd het tijd om te helpen met de wederopbouw. Dat betekent natuurlijk dat de mensen weer huizen moeten krijgen om in te wonen. Maar het betekent ook dat ze weer geld moeten kunnen verdienen. Veel fabrieken en winkels waren ook kapot gegaan door de aardbeving, zodat veel mensen hun baan zijn kwijtgeraakt. ZOA helpt daarom niet alleen met huizenbouw. We zijn ook begonnen met projecten waardoor mensen weer geld kunnen verdienen, of weer werk kunnen vinden en waardoor boeren een betere opbrengst kunnen krijgen van hun land. Op die manier kunnen ze over een tijdje weer voor zichzelf en voor hun kinderen zorgen en zijn ze niet meer afhankelijk van hulp.
Woord en Daad en ZOA werken samen op Haïti. Je kunt meer lezen op de website www.samenvoorHaïti.nl.

Dankwoord

De medewerkers van de partnerorganisaties van Woord en Daad (*AMG Haïti en Parole et Action*) waren geweldig tijdens mijn verblijf in Haïti. Ondanks het verdriet om familie en vrienden die ze hebben verloren tijdens de aardbeving blijven ze met passie en liefde werken aan een beter Haïti. Vragen en wensen van mijn kant om tot een goed verhaal te kunnen komen, werden direct beantwoord. En meer dan dat. Pastor Beaulière heeft trots zijn geboorteplaats Forêt-des-Pins laten zien. Een plaats waar ik nu ook liefde voor gekregen heb. De mooie natuur, de rust en de prachtige heuvels rondom brengen je tot rust.
En dan al die mensen en kinderen die ik in Port-au-Prince en Forêt-des-Pins sprak. Die hun verhaal met me wilden delen. Open en eerlijk vertelden wat hen bezighield en mij in hun hart lieten kijken. Ze deelden hun huis en leefomgeving met me. Bijzonder.
Marcel heeft in dit alles een belangrijke rol gespeeld. Marcel, door jouw begeleiding tijdens de reis kreeg ik de informatie die ik graag wilde hebben. Je hebt veel over het land, de cultuur, de achtergrond en gewoonten van Haïti verteld. Doordat je Creools sprak, kwamen we heel dicht bij de mensen en zag je mensen en kinderen na een paar woorden openbloeien. Dit kreeg je voor elkaar door je humor, maar ook door je oprechte betrokkenheid bij de Haïtianen, van wie je houdt. De mooie gesprekken met de Haïtianen over hun land en de problemen zijn onvergetelijk. Dank!
Vena, je groeide op in Haïti en draagt het land in je hart. Daardoor zorg je voor een stukje Haïti in Nederland. Dank voor het meelezen. Je suggesties en tips hebben het boek mooier gemaakt.
Reinald, als broer en neerlandicus bracht je het boek op een hoger niveau! Je kritische commentaar hield me met beide benen op de

grond en liet me soms ook weer de humor van het leven zien. De avonden bij de kachel – tot in de kleine uurtjes – hebben het boek gemaakt tot wat het is.
Hannah en Anne, jullie vertelden me of het boek niet té verdrietig was en of kinderen van jullie leeftijd dit ook mooi zouden vinden. Dankjewel!
Arie, Henk, Elien, jullie hebben allemaal op een ander moment met het verhaal meegekeken. Jullie feedback en de puntjes op de i maakten het verhaal compleet.
Aukelien, uitgever van Columbus, bedankt voor je begeleiding van dit boek. Je motiveerde op momenten dat ik me afvroeg of het allemaal wel ging lukken. Met je collega Kirsten stelde je je flexibel op; we hadden prettig contact rondom de vormgeving van het boek. Bedankt voor de goede samenwerking
Namen noemen is altijd lastig. Voor, tijdens en na mijn reis waren familieleden, vrienden en collega's betrokken en belangstellend. Dank voor jullie motiverende rol tijdens het schrijven.
Merci beaucoup!